Party Time

Rose Hammick
Charlotte Packer

Party Time
fantastische kinderfeestjes van 1 tot 10 jaar

recepten: Caroline Marson

fotografie:
Polly Wreford

TIRION Creatief

Dit boek is gepubliceerd door
De Fontein | Tirion Uitgevers B.V.
Postbus 1, 3740 AA Baarn

www.tirion.nl

Oorspronkelijke titel: *Children's parties*
© 2006, 2009 Ryland Peters & Small,
20-21 Jacky's Fields, Londen WC1R 4BW
www.rylandpeters.com

ISBN 978 90 4391 347 8
NUR 214, 460

© 2010 De Fontein | Tirion
Uitgevers B.V., Baarn

De uitgever heeft ernaar gestreefd de
rechten van derden zo goed mogelijk te
regelen. Degenen die desondanks
menen zekere rechten te kunnen doen
gelden, kunnen zich tot de uitgever
wenden.

Abonneer u nu op de nieuwsbrief van Tirion Uitgevers en
ontvang actuele informatie over onze nieuwste boeken!
Ga naar www.tirion.nl en meld u aan!

Styling: Rose Hammick
Tekst: Charlotte Packer
Vertaling: Eurotext, Marjan Faddegon
Omslagontwerp: Marjolein van Dam, www.lein-online.nl
Vormgeving binnenwerk: Elgraphic bv, Schiedam
Fotografie: Polly Wreford
Fotoresearch: Emily Westlake

Voor Matilda, Beatrice, Martha en Joe – C.P.
Voor Blaise en Andrew – R.H.

inhoud

inleiding

Bijna iedereen heeft goede herinneringen aan de feestjes uit zijn of haar jeugd – eenvoudige partijtjes met limonade en snoep, gevolgd door spelletjes. Soms kwamen de kinderen verkleed. Het hoogtepunt van het feest was de taart, zelfgebakken en niet altijd even lekker! En meer verwachtte je ook niet. Vroeger werd er geen clown of goochelaar ingehuurd en de kinderen gingen niet naar huis met een tas vol cadeautjes. Het vooruitzicht om een paar spelletjes te winnen was voldoende om iedereen blij te maken, al vielen er natuurlijk ook altijd wel wat traantjes – op dat punt is er in elk geval niets veranderd!

Tegenwoordig durven nog maar weinig ouders het aan om zelf iets te organiseren en daarom trekken we de portemonnee maar. Maar het kan ook anders. Om te beginnen verwachten kinderen vaak helemaal niet zo veel als je zou denken. Met een beetje fantasie en planning is het echt niet zo moeilijk om kinderen bezig te houden. Een eenvoudig verkleedthema met bijpassende versiering, meer heb je niet nodig om de fantasie van de kinderen op gang te brengen. Voordat je het weet, ben je al een uur verder en waant iedereen zich vrolijk een ridder, prinses, elfje of piraat. Dan nog wat te eten (kant-en-klaar gekocht of zelfgemaakt, wat

MET DE KLOK MEE VANAF LINKSBOVEN Slingers van geblokt katoen, een paar strobalen en wat kartonnen cactussen toveren je achtertuin om in het Wilde Westen; een zelf geschilderd fotopaneel voor een circusfeestje; een piraat speurt de horizon af naar een klimrek annex piratengaljoen; twee kleine cowboys beramen hun ontsnapping uit de speelhuisgevangenis!

jij het makkelijkst vindt) en een paar leuke spelletjes, en de middag kan niet meer stuk.

Om het leven wat makkelijker te maken (hopen we) zijn alle feestjes zo opgezet dat je zelf kunt kiezen of je aan de slag wilt met karton, lijm en dergelijke. Bij elk thema krijg je ideeën voor zelfgemaakte decoraties en kostuums, maar ook tips voor varianten die te koop zijn als je weinig tijd hebt of niet zo creatief bent. De planning biedt per leeftijdsgroep alternatieve ideeën en suggesties voor hapjes, spelletjes en activiteiten. Er zijn aparte hoofdstukken over zelfgemaakte uitnodigingen, spelletjes en afscheidscadeautjes. Deel

twee behandelt het eetgedeelte en bevat een uitgebreide keuze aan recepten voor elke smaak en elke leeftijd, met leuke tips voor verjaardagtaarten.

Zie je toch op tegen de onvermijdelijke chaos, bedenk dan dat deze kinderfeestjes misschien veel bewerkelijker lijken dan wat je zelf als kind gewend was, maar de ingrediënten voor een geweldig verjaardagsfeestje zijn nog steeds hetzelfde: vriendjes en vriendinnetjes, spelletjes en taart. Heb je dat allemaal, dan gaan de kleine gasten na afloop tevreden naar huis!

De **feestjes**

De thema's op de volgende bladzijden zijn bedoeld als inspiratie, niet om je onder druk te zetten! We willen je niet voorschrijven hoe je een feestje organiseert; we willen alleen laten zien wat er mogelijk is als je van verkleden en fantasiewereldjes houdt. De versieringen zijn behoorlijk uitbundig, zodat je een idee krijgt van wat je allemaal kunt maken. Bij elk thema geldt echter dat je ook kunt volstaan met alleen kostuums of alleen versieringen. Je bepaalt zelf hoe ver je wilt gaan. Het moet tenslotte wel leuk blijven. Heeft je kind een hekel aan verkleden of heb je geen tijd om versieringen te maken, begin er dan niet aan. Een feestje draait niet alleen om een versierde kamer. Een lekkere taart en een gezellige middag met vriendjes en vriendinnetjes vormen de perfecte omstandigheden om een kinderverjaardag te vieren.

BLADZIJDE HIERNAAST
Voor een leuk picknick-
plekje leg je gewoon een
kleed en een paar kussens
in de schaduw van een
boom. Hier wordt de
taart geserveerd in een
speeltentje versierd met
geblokte katoenen
feestslingers.

ONDER EN RECHTS Houd
er rekening mee dat
peuters vaak niet rustig
blijven zitten om iets
te eten. Zorg voor wat
eenvoudige bezigheden
waarmee ze zich kunnen
vermaken, zoals een
blokkenkar of poppen-
wagen. Of laat ze
schatgraven in de
zandbak.

Aan feestjes voor een- en tweejarigen hebben de ouders vaak meer dan de kinderen zelf, maar voor deze leeftijd is een berenpicknick ideaal.

berenpicknick

Op verjaardagsfeestjes voor peuters zit je vaak met een verrassend groot gezelschap: niet alleen de gasten met hun ouders, maar meestal komen er ook een stel oudere broertjes en zusjes mee. Ook al lijkt je kind te jong om te beseffen wat er gebeurt, een eenvoudig thema als een berenpicknick is altijd leuk. Ieder kind heeft wel een beer of andere knuffel en een picknick met knuffeldieren spreekt ook de oudere kinderen aan.

Houd het feest bij mooi weer in de tuin of in het park. Dat past goed bij een picknick en beschermt je huis bovendien tegen een invasie van uitgelaten peuters met vieze vingers. De hapjes kun je grotendeels afstemmen op de volwassen smaak, maar zorg wel voor een paar dingen die geschikt zijn voor de allerkleinsten. Boterhammetjes zonder korst, soepstengels, reepjes komkommer, worteltjes en kerstomaatjes gaan er bij peuters altijd in.

Wat de aankleding betreft, is een berenpicknick heel makkelijk. Je kunt het zo uitgebreid maken als je zelf wilt. Een picknickkleed met een paar kussens is voldoende als basis. Slingers staan vrolijk en feestelijk. Voor zelfgemaakte slingers knip je een aantal ongeveer

RECHTS De taart staat centraal op een verjaardagsfeestje. Een dikke laag kleurig boterglazuur, royaal bestrooid met snoepjes levert een taart op die je kind niet snel zal vergeten (het gaat immers toch alleen maar om het glazuur!).

BLADZIJDE HIERNAAST Een rij marcherende beren in de bloembedden vormt een prachtige feestdecoratie. De beren zijn uit stevig bruin karton geknipt en de opgeplakte buikjes zijn van lichter papier. Elke beer is op een bamboestok bevestigd. Zet op elke beer de naam van een gast en geef de kinderen hun 'eigen' beer mee als ze naar huis gaan.

even grote driehoeken uit felgekleurd vloeipapier en die plak je op gelijke afstand van elkaar aan een touwtje, of je zigzagt met de naaimachine driehoekige lapjes aan een lint. Met deze slingers versier je de tuin. Ga je naar het park, dan zijn ze handig om je picknickplek mee af te zetten zodat je gasten zien waar ze moeten zijn.

Uitgeknipte beren op peuterformaat zijn doeltreffend en heel simpel om te maken. Je kunt ze zowel binnen als buiten gebruiken. Bevestig ze tegen de muur bij de feesttafel of prik ze op bamboestokken in de tuin zodat ze door de bloemen lijken te banjeren. Knip een eenvoudige berenvorm uit en trek die om op stevig bruin karton. Heb je voldoende beren uitgeknipt, plak er dan buikjes op van lichter bruin papier (doe dat eventueel ook bij de pootjes en de snoeten). Grotere kinderen kun je zelf laten knutselen met deze uitgeknipte beren. Zet lijm, glitters, verf en vloeipapier op tafel en laat de kinderen hun eigen beer versieren om mee naar huis te nemen.

Ik zag twee beren... Een kind dat geen beer bij zich heeft, is misschien teleurgesteld als alle andere gasten er wel een hebben. Zet daarom zo veel mogelijk beren en andere knuffels neer, zodat iedereen ermee kan spelen.

DEZE BLADZIJDE EN RECHTS Vruchtensap in kleine theekopjes is perfect voor een beren-picknick, maar dat geeft natuurlijk wel een knoei-boel. Je kunt er ook voor kiezen om de beren 'net alsof' uit de kopjes te laten drinken en daarna pas de kinderen hun sap geven.

RECHTS, BOVEN EN ONDER Koop berenkoekjes in de winkel of bak en glazuur ze zelf (zie blz. 129). Koekjesuitstekers in dierenvormen zijn te koop bij huishoudwinkels. Laat je kinderen helpen met versieren als voorbereiding op het feest. De bloemenkoekjes zijn gemaakt met gesmolten zuurtjes (zie blz. 128).

Betrek een speeltent of -huisje bij het feest als je er een hebt. Verzamel al het speelgoed dat aansluit bij het thema of leuk is om buiten mee te spelen. Een poppenserviesje past er natuurlijk bij, net als plastic speel-eten. Algauw zijn de grotere kinderen bezig om de knuffels van thee te voorzien, terwijl de peuters ongetwijfeld dwarsliggen en weigeren om netjes mee te doen. Poppenwagens en houten loopfietsjes zijn geliefd bij peuters en ideaal om beren mee door de tuin te vervoeren. Een zandbak is leuk voor kinderen van alle leeftijden (en een prachtig cadeau voor de eerste verjaardag van je kind). Begraaf bijvoorbeeld plastic dierfiguurtjes, poppetjes of autootjes in het zand en laat de kinderen schatgraven.

Met een baby- en peutervriendelijk thema als dit is het niet moeilijk om de stemming erin te houden, want de kinderen vermaken zich in feite zelf. Waardoor jij zelf ook meer kunt genieten van het feestje!

LINKS Aan verkleden zijn peuters nog niet toe, maar grappige dierenoren zijn precies goed. Kleintjes zetten immers graag van alles op hun hoofd.

RECHTS EN BLADZIJDE HIERNAAST Voor deze mooie waterlelies plak je bloemblaadjes van vloeipapier rond wegwerp-soepkommen (verkrijgbaar bij de supermarkt). Zet ze op een plompenblad dat je uit effen groen knutselpapier knipt.

Een feestje rond een eenvoudig, bekend thema als dieren van de boerderij, gecombineerd met simpele spelletjes en liedjes, is ideaal voor peuters. Versier de ruimte met kleurige decoraties op reuzenformaat voor een gedenkwaardige verjaardag.

dierenboerderij

Het is leuk om de verjaardag van je kind thuis te vieren, maar het buurthuis of de schoolkantine is een uitstekend alternatief als je er niet onderuit kunt om de hele groep van de peuterspeelzaal of het kinderdagverblijf uit te nodigen, als je krap behuisd bent of als je een grote familie hebt.

Het enige nadeel is dat zulke ruimtes er vaak zo onpersoonlijk of saai uitzien. Je fleurt de boel vrij makkelijk op met een paar eenvoudige, zelfgemaakte decoraties geïnspireerd op favoriete verhaaltjes, dieren of speelgoed van thuis.

Ga voor je planning uit van de tijd die je erin wilt stoppen en houd rekening met praktische zaken, zoals hoe je de gemaakte decoraties gaat vervoeren en opstellen. Een saaie zaal vrolijk je meteen op met ballonnen, serpentines en tafels vol feestelijke hapjes. Maar als je wel van een uitdaging houdt, kun je je uitleven op de aankleding. Met wat creatief denkwerk hoeft een gedenkwaardig, heel persoonlijk verjaardagsfeest niet meer te kosten dan wat veel ouders uitgeven aan een kinderfeestje bij een fastfoodketen.

BLADZIJDE HIERNAAST Peuters scharrelen graag rond om hun omgeving te verkennen. Op deze zachte geblokte kussens vallen ze zacht en de vele speelgoedbeesten zorgen voor vermaak. Eventueel kun je na het feest elke gast een dierfiguur meegeven.

Ook al lijken de decoraties voor dit boerderijfeestje heel wat, ze
zijn bijna allemaal zelf geknutseld of gemaakt met speelgoed als
basis. Een paar dingen, zoals de reuzenbloemen en vlinders, komen
uit de winkel. Die hebben we niet alleen uitgezocht vanwege het
decoratieve effect, maar ook om mee te geven als de gasten naar
huis gaan. Voordelig, leuk en mooi voor in de slaapkamertjes.

Als uitgangspunt voor dit boerderijthema dienden het
speelhuisje (dat eruitziet als een boerderij in prentenboeken) en een
verzameling plastic konijnen. Een tuinhekje, uit karton geknipt en
blauw gespoten, en een paar op goedkoop grondpapier geschilderde
dieren – meer was er niet nodig om de ruimte om te toveren in een
prachtige boerderij. Het leuke van decoraties maken voor deze
leeftijdsgroep is dat juist de eenvoud kinderen aanspreekt. Je hoeft
dus helemaal niet zo handig te zijn met een potlood of verfkwast.

De zachte kussens van geblokt katoen zijn heerlijk om op te
zitten of te spelen en ideaal voor peuters om overheen te kruipen.
Ook zijn ze handig voor kringspelletjes, zoals liedjes zingen, als die
op het programma staan.

Voor deze leeftijdsgroep heeft het geen zin om een
verkleedpartij te organiseren, want de meeste peuters houden daar
helemaal niet van. Wel vinden ze het prachtig om van alles op hun
hoofd te zetten, van wollen mutsen tot brandweerhelmen. Grappige
dierenoren zullen dus zeker in de smaak vallen. Knip oren uit fluweel

Denk aan kleine dingen
Zorg voor een aankleedkussen met billendoekjes en luiers waarop moeders hun baby kunnen verschonen. Een potje voor peuters die net zindelijk beginnen te worden is ook handig.

of imitatiebont, stik ze op elkaar en bevestig ze aan een diadeem, of koop ze in de feestwinkel. Zulke oren zijn ook leuk om mee naar huis te geven.

Een grote zaal kun je net als een peuterspeelzaal indelen met verschillende activiteiten verspreid over de ruimte, afgestemd op de diverse leeftijden. De prachtige eendenvijver dient als basis voor een hengelspelletje. Plak vellen blauw papier met plakband aan elkaar en knip er een vijvervorm uit. De eendjes krijgen een spijker als staart. De peuters krijgen een hengel met een magneetje (uit de ijzerwinkel) aan het uiteinde, waarmee ze de eendjes moeten proberen op te vissen.

Zo'n feest is ideaal voor grote groepen met veel verschillende leeftijden, want er is voor elk wat wils, zowel voor kinderen die nog veel behoefte hebben aan ouderlijke inbreng als voor groteren die gewoon lekker willen rondhangen met hun vriendjes of vriendinnetjes. Het zal rumoerig worden, maar wel gezellig.

LINKS Een kartonnen speelhuisje is versierd met bloemen gemaakt van weggooikommetjes en vloeipapieren blaadjes.

DEZE FOTO EN UITERST RECHTS Dit leuke hengelspel is gemaakt met in de winkel gekochte eendjes. Een paar plastic rupsen dienen als aas. Sla een kopspijker in de staart van de eenden, lijm een magneetje op de rupsen en knoop die aan bamboestokken. De bedoeling van het spel is om zo veel mogelijk eendjes uit de vijver te hengelen. Drie- en vierjarigen vinden dit prachtig. Kleinere kinderen ook, maar die hebben misschien wat hulp nodig.

planning

In feite grijpen veel jonge ouders de eerste of tweede verjaardag van hun kind aan om zelf een feestje te bouwen. En waarom ook niet? Een kindje dat een of twee wordt, heeft er nog geen idee van (laat staan inspraak in) wie er komt, maar al die aandacht is natuurlijk wel leuk. Geef een familiefeest met hapjes voor de volwassenen en eenvoudige kindersnacks voor de kleintjes, die ongetwijfeld in de minderheid zijn.

WAAR GAAT HET GEBEUREN?

• Waar je het feest houdt, hangt af van je plannen. Wil je het thuis doen, dan is een zondagse brunch of barbecue heel geschikt om een kinderverjaardag te vieren, ook voor volwassenen.

• Het park is een prima uitwijkplaats als je klein behuisd bent en je vrienden meerdere kinderen meenemen naar het feest.

HOE LAAT?

• Veel kinderen in deze leeftijdsgroep doen nog een middagslaapje. Stem het feest af op het dagschema van je kind. Laat je niet overdonderen door ouders die zuchtend te kennen geven dat ze graag hadden willen komen, maar dat kleine Max dan altijd slaapt (met de impliciete vraag of het misschien wat eerder of later kan). Het is jullie feest, dus jullie bepalen hoe laat het begint.

• Hoe lang wil je voor gastheer/vrouw spelen? Met gillende peuters thuis duurt twee uur een eeuwigheid, maar vindt het feest in de tuin of in het park plaats, dan kun je er best de hele middag voor uittrekken.

• Heb je een locatie geboekt, dan moet je waarschijnlijk per uur betalen. Houd rekening met de tijd die je nodig hebt om alles klaar te zetten en naderhand weer op te ruimen.

WAT ZETTEN WE DE GASTEN VOOR?

• Bij deze leeftijdsgroep heb je als gasten over het algemeen zowel volwassenen als kinderen. Organiseer je een barbecue of picknick, zorg dan voor kippenpootjes en hamburgers (zie blz. 116-117) met een paar salades. Neem voor de kleintjes eenvoudige hapjes zoals minisandwiches en cocktailworstjes.

• Sloof je niet uit met bijzondere recepten, maar bedenk dat de meeste volwassenen stiekem dol zijn op cocktailworstjes, chips en sandwiches op kinderformaat. Je bespaart jezelf een heleboel tijd en moeite als je de volwassenen gewoon laat mee-eten met de kinderen.

• Cakejes en koekjes gaan er altijd in, zeker als ze zelfgebakken zijn. Veel ouders letten scherp op wat hun peuters binnenkrijgen.

• Makkelijk samen te stellen voor volwassenen is een zondagse brunch met gerookte zalm op bagels en een cocktail van champagne met sinaasappelsap, of koffie en muffins.

PRIJSJES EN AFSCHEIDSCADEAUTJES

• Houd ze heel eenvoudig. Geef de kinderen decoraties mee voor thuis in hun kamertje, zoals grote papieren bloemen.

• Peuters zijn uren zoet met (helium)ballonnen.

• Zelfgemaakte speelklei is leuk om mee naar huis te geven. Doe de klei in lege potjes van babyvoedsel, voorzien van een etiket met het recept. Speelklei maak je als volgt. Doe 1 kop bloem, 1 kop water, $\frac{1}{2}$ kop zout, 1 eetlepel plantaardige olie, 1 theelepel wijnsteenbakpoeder en 1 eetlepel voedselkleurstof in een pan met dikke bodem op middelhoog vuur. Roer

goed door. Wanneer de massa als een bal loslaat, haal je de pan van het vuur. Even laten afkoelen, twee minuten doorkneden en klaar is de klei. Kleur de klei met voedselkleurstof: 1 à 2 theelepels geven pasteltinten, een half flesje voedselkleurstof geeft diepe, donkere kleuren.

SPELLETJES EN ACTIVITEITEN

Eerste verjaardag

• In een gezelschap van eenjarigen met hun ouders is een verzameling speelgoed voldoende om de kinderen bezig te houden.

Tweede verjaardag

• Voor een peuterpartijtje is het handig om een speelplek te maken (binnen of buiten) met speelgoed van je kind.

• Maak voor een zomerverjaardag reuzenijsblokjes met plastic speeltjes erin. Bewaar yoghurtpotjes en margarinekuipjes, doe in elk een speeltje, vul ze met water en zet ze in de diepvries. Haal de blokjes eruit en zet ze op een blad in de tuin. Kleine kinderen vinden zulke glibberige blokjes mateloos interessant en zullen proberen om de speeltjes eruit te halen.

• De meeste kinderen van een jaar of twee zijn bekend met speelklei. Met uitrollen en in vormpjes drukken zijn ze uren zoet. Laat ze lekker kleien aan een kindertafeltje of op de grond.

• Echte spelletjes zijn te moeilijk voor peuters, maar liedjes zingen in de kring vinden ze wel leuk, want dat kennen ze van de peuterspeelzaal of het kinderdag-verblijf. Maak sambaballen van oude waterflesjes gevuld met droge linzen, rijst, pasta of zand.

• Bij mooi weer vermaken de kinderen zich prima in de zandbak of in een pierenbadje met een paar centimeter water. Jij hoeft dan alleen nog maar klaar te zitten met handdoeken om ze na afloop af te drogen.

Een mysterieus waterwonderland is heel leuk om te maken. Scharrel lapjes, vloeipapier en dergelijke op in de kleuren van de zee: groen voor zeewier, turkoois en blauw voor het water, geel voor het zand en roze voor koraal.

in de zee

Een indrukwekkende onderwaterwereld stel je moeiteloos samen met aan zee gerelateerde attributen die je thuis hebt (er is vast wel het nodige te vinden) en een paar eenvoudige zelfgemaakte decoraties. Verzamel al het vissige speelgoed en alles wat je aan netmateriaal kunt vinden, zoals hangnetten voor speelgoed of waszakken. Daarmee ben je al een eind op weg naar een perfect decor voor beeldschone zeemeerminnen en glinsterende zeemonsters.

Voor dit zeethema hebben we de kamer aangekleed met een combinatie van speciaal gemaakte decoraties en een paar simpele accessoires zoals een kindertafeltje en een opbergnet voor speelgoed. Met weinig moeite geeft dit een prachtig effect. Het groene net hangt aan het plafond, gevuld met de cadeautjes voor thuis. Een groot katoenen net (een ballonnennet uit de feestwinkel) versierd met plastic vissen, lijkt op een diepzeevisnet.

Slingers van stukken bleekblauw en groen vloeipapier hangen als slierten zeewier van het plafond omlaag. Verspreid door de kamer zwemmen scholen vissen, gemaakt van karton met aluminiumfolie en opgehangen aan katoenen draden.

Met de kostuums voor dit feest kun je alle kanten op. Bij meisjes is de zeemeermin altijd populair; zeemeerminnenpakjes zijn overal verkrijgbaar. Voor jongens kun je een duikpak maken van een zwarte legging, een zwart T-shirt en een duikbril. Heb je geen zwemvliezen

BOVEN Voor de pruik van de zeemeermin knip je grondpapier in stroken. Stik ze op de naaimachine aan elkaar met een middenscheiding (of gebruik plakband). Bestrijk ze met wat gele verf en strooi er gouden sterretjes over.

RECHTSBOVEN Badspeeltjes doen hier dienst als decoratie. Rubberen vissen zijn 'gevangen' in een net (een ballonnennet, verkrijgbaar bij goede feestwinkels).

RECHTS Een opbergnet voor speelgoed is de perfecte plek voor afscheidscadeautjes.

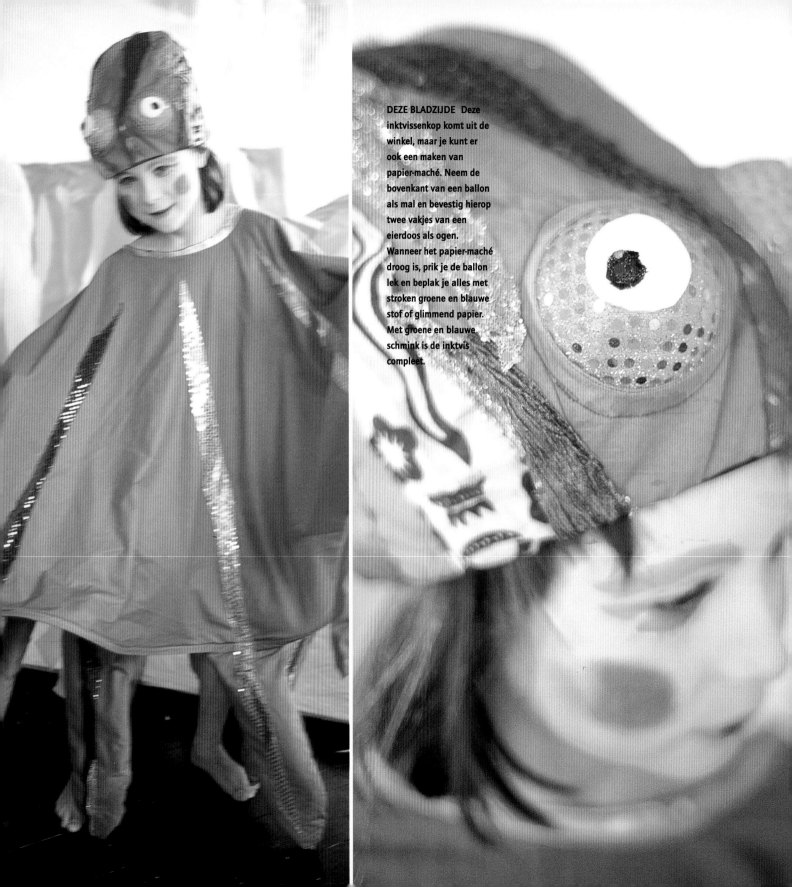

DEZE BLADZIJDE Deze inktvissenkop komt uit de winkel, maar je kunt er ook een maken van papier-maché. Neem de bovenkant van een ballon als mal en bevestig hierop twee vakjes van een eierdoos als ogen. Wanneer het papier-maché droog is, prik je de ballon lek en beplak je alles met stroken groene en blauwe stof of glimmend papier. Met groene en blauwe schmink is de inktvis compleet.

DEZE BLADZIJDE Voor een school zilverige visjes knip je vissenvormen uit regenboogkarton of, zoals hier, dun plastic. Hang ze op aan dun garen. Dobberend boven de tafel geven ze een fantastisch effect.

INZET RECHTS EN RECHTSONDER Kinderen vinden het prachtig om een onderwatergrot in te duiken. De grot maak je door een speeltentje te beplakken met zeewier van stroken blauw en groen vloeipapier. De staarten op de foto rechtsonder horen bij een kostuum uit de winkel. Zelf maken kan ook: knip een staartvorm uit glitterstof, bevestig bovenaan een lint en knoop de staart rond het middel van je kind.

in een kindermaat, maak ze dan van karton. Ben je in een creatieve bui, maak dan een coole kwal. Een transparante of lichtgekleurde paraplu kan dienen als realistisch kwallenlijf, met daaronder een lichte legging met topje. Voor de tentakels knip je lichte stof in lange repen, of je neemt stukken cellofaan (noppenfolie kan ook) en die bevestig je aan de rand van de paraplu. Op dezelfde manier kun je een inktvis maken.

Op de tafel zet je het zeethema door met een turkooizen of geel plastic tafelkleed bestrooid met schelpen. Voor een spectaculair effect moet je even de mouwen opstropen. Zand ligt voor de hand, maar geeft wel rommel en niemand zit op zanderige stukken taart te wachten. Wel kun je vrij makkelijk een strandtafel maken door een stuk karton of spaanplaat geel te schilderen met een mengsel

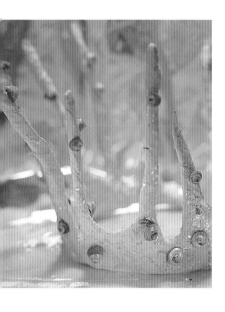

LINKS Een koraalkroon is perfect voor een onderwaterkoningin of jarige zeemeermin. Deze is gemaakt van papier-maché over een frame van metaaldraad. Na droging is hij geschilderd met parelmoerverf en bestrooid met glitters, pailletten en schelpjes.

RECHTS Schelpenplaatskaartjes van zilver gespoten papieren bordjes.

ONDER Cakejes (zie blz. 135) versierd met zeemotieven vormen een mooi alternatief voor een traditionele verjaardagstaart. Heb je geen tijd om een cake te bakken maar vind je glazuren wel leuk, snijd dan een hotelcake uit de winkel in blokken en versier die.

BLADZIJDE HIERNAAST Met placemats in de vorm van vissen en zeewierslierten kleed je de feesttafel op een simpele maar originele manier aan.

Strandkiekjes Fotolijstjes in de vorm van plastic schudbollen, gevuld met glitterwater en voorzien van een gleuf voor een foto, zijn perfect als afscheidscadeautje. Heb je een digitale of polaroidcamera, neem dan bij binnenkomst van ieder kind een foto en doe die in de schudbol.

van zand en hobbylijm. Maak het tafereel af met zandkastelen door de vakjes van een eierdoos los te knippen en te schilderen met hetzelfde mengsel. Steek in elk zandkasteel een vlaggetje met de naam van een gast, dan heb je grappige plaatskaartjes. (Misschien lijkt dat wat overdreven voor deze leeftijdsgroep, maar plaatskaartjes zijn vaak handig als de kinderen elkaar niet zo goed kennen.)

Zet chips en popcorn neer in kleurige strandemmertjes in plaats van schalen. Plastic zandvormpjes kun je voor puddinkjes gebruiken of vullen met snoep en koekjes. In de supermarkt zijn effen papieren bordjes te koop in kleuren als fel turkoois, blauw of geel die prima bij een onderwatertafel passen.

Heliumballonnen in lichte waterkleuren drijven als mooie luchtbellen door de kamer. Na afloop van het feest trek je ze van het plafond of je knoopt ze los van de stoel om ze aan de gasten mee te geven.

RECHTS EN MIDDEN-RECHTS Geef ieder kind bij binnenkomst een tiara of gebruik ze als prijsje bij spelletjes (zorg er dan wel voor dat ieder kind er eentje 'wint'!).

RECHTSONDER Deze sterrenkoekjes op een stokje zijn eetbare tover-stafjes. Ze zijn uitgestoken met een speciale koekjes-vorm en heel geschikt om de kleine elfjes mee naar huis te geven!

BLADZIJDE HIERNAAST Een elfenhuisje hoort er natuurlijk bij! Hier is een kinderklamboe versierd met vloeipapieren vlinders, vastgeplakt met een druppel uitwasbare lijm.

Alle kleine meisjes vinden het prachtig om zich te verkleden als elfje. De kostuums zijn heel makkelijk. De meeste meisjes hebben wel een of andere elfjesoutfit en anders kun je iets improviseren met tule en een mooie feestjurk. Wat de decoraties betreft: roze natuurlijk!

elfjes

Van alle feestjes die je kunt organiseren voor je dochter, is een elfenfeest wellicht het simpelst. De meeste benodigdheden heb je waarschijnlijk al in huis en anders kun je ze kopen bij elk warenhuis. Struin eerst eens de kamer van je dochter af. Roze kussens, feestlichtjes, een klamboe in prinsessenstijl, een vlindermobile of een mooi kleedje: alles kan dienstdoen als decoratie.

Bedenk welke spelletjes bij een elfenfeest passen en waar je die wilt doen. Concentreer je dan op het maken van een 'elfenhuisje'. Is je dochter in de zomer jarig en heb je een tuin, richt dan in een van de hoeken een elfenhuisje in. Leg een zacht kleed neer met kussens in een kring. Versier het elfenparadijs met roze en witte slingers en pastelkleurige ballonnen. Heb je geen tuin of vindt het feest midden in de winter plaats, geen nood. Een elfenhuisje kun je ook binnen maken. Richt gewoon de meest feestvriendelijke kamer in als elfenoord.

DEZE BLADZIJDE EN INZET LINKS Dek de tafel met een mooi tafelkleed. Neem bordjes en bekers met een bloemmotief of in pasteltinten. Een etagère vol elfencakejes is een prachtig middelpunt. Wil je het thema nog verder uitbouwen, knip dan vlinders uit vloeipapier en plak die met een druppel (spuit)lijm op ramen of muren. Snoep hoort natuurlijk bij een elfenfeest, maar serveer eerst bordjes met verschillende, gezond belegde hartvormige sandwiches (zie blz. 114). Daarna mogen je elfjes zich te buiten gaan aan spekkies en andere zoetigheid!

BLADZIJDE HIERNAAST, BOVEN Om ballonnen te versieren met vloeipapieren vlinders heb je geen lijm nodig; door de statische elektriciteit blijven ze vanzelf plakken.

BLADZIJDE HIERNAAST, ONDER Hartvormige sandwiches, puddinkjes in bloemvormen en magisch snoep zijn perfect voor een elfenfeest.

Abacadabra! Iets grotere kinderen doe je een plezier met knutselen in aansluiting op het thema, zoals toverstafjes maken of elfenkroontjes versieren. Maak de kroontjes en de stokjes met sterren voor de stafjes van tevoren en help de kinderen om ze te versieren met allemaal glittertjes.

Een snoer feestlichtjes geeft een magische, feestelijke sfeer, wat precies goed is voor een elfenfeest. Haal de kerstverlichting tevoorschijn of ga in de winkel op zoek naar fantasielampjes (ze zijn tegenwoordig verkrijgbaar in allerlei uitvoeringen, zoals bloemen, vlinders, libellen en zelfs elfjes). Nog mooier wordt het wanneer je vlinders uit roze, wit en paars vloeipapier knipt voor op de ramen, gordijnen en muren (op ballonnen hoef je ze niet eens te plakken, door de statische elektriciteit blijven ze vanzelf zitten).

Omdat het elfenhuisje als middelpunt van het feest fungeert, is het belangrijk om goed na te denken over de plaats. Heb je allerlei wilde spelletjes gepland, zoals Bonsdans (zie blz. 102), of staat er een elfendisco op het programma, dan kun je het elfenhuisje beter een plaats geven in een hoek van de grootste kamer. Dan kunnen de kinderen daar gaan zitten als ze even willen uitrusten of afgevallen zijn bij een spel. Gaan jullie echter vooral rustige of kringspelletjes doen, maak dan een elfencirkel met plaats voor alle kinderen.

Een feestmaal in het elfenhuisje vinden de kinderen vast prachtig, maar het kan wel een knoeiboel worden. Een echte

elfentafel is niet zo moeilijk te maken. Met papieren bordjes, bekers en een tafelkleed in hetzelfde suikerroze als de ballonnen en andere decoraties ben je al een heel eind. Maak er gewoon nog wat vlinders bij of versier de muren en ramen met eenvoudige papieren slingers en laat de feesthapjes de rest doen. Met etagères vol elfencakejes (zie blz. 130), bordjes vol sandwiches in de vorm van hartjes, bloemen en vlinders (zie blz. 114) en schalen vol mierzoete snoeperijen maak je de elfjes beslist heel blij.

Heb je de grote lijnen voor het feest vastgesteld, dan hoef je alleen nog de kostuums te regelen. Waarschijnlijk heb je de basis al in huis (en dat geldt voor de meeste gasten). Heeft je dochter geen elfenvleugeltjes, dan is dat misschien een leuk cadeautje voor haar verjaardag. Voor de jurk kun je haar mooiste prinsessenjurk of een balletpakje versieren met stoffen bloemen en tulen strikjes. Uiteraard heeft een elfje een glinsterend diadeem en een toverstafje. Die koop je bij de speelgoed- of feestwinkel, of je knutselt ze thuis zelf in elkaar.

LINKSBOVEN, LINKS EN RECHTS Voor elfjes hoef je niet veel spelletjes te organiseren. Een mooi elfenhuisje is voldoende om de juiste sfeer te scheppen en hun fantasie doet de rest. Kleine zusjes begrijpen misschien niet echt wat de bedoeling is, maar ze willen vast wel meedoen.

RECHTSBOVEN Bij de supermarkt en de banketbakker kun je vaak geglazuurde cakejes kopen die er net zo lekker uitzien als je eigen baksels, zeker wanneer je ze presenteert op een chique etagère. De mooie vlinders op ijzerdraad maken het extra magisch!

DEZE BLADZIJDE

Zelfgemaakte kostuums hebben wel iets. Dit lieve, met bloemen bezaaide hemdje past perfect bij het tulen rokje met ruches. Toverstafjes maak je met lint en bamboe plantenstokken. Niet het ene uiteinde van het lint tegen de onderkant van de stok en wikkel het lint eromheen met af en toe een drupje lijm ertussen. Zet het bovenaan vast met een nietje. Bevestig een kartonnen ster (beplakt met aluminiumfolie) met lijm en nietjes op het stokje. Bind een stel cadeaulinten om de bovenkant om de nietjes weg te werken.

BLADZIJDE HIERNAAST, LINKS EN RECHTS Een klimrek is een prachtig uitgangspunt voor een piratengaljoen dat de woeste zeeën bevaart. Het zeil is gemaakt van een oud gordijn (een stoflaken of oude sprei kan ook). Het is beschilderd met plakkaatverf waar wat hobbylijm door geroerd is. Dat is goedkoper dan de kleine potjes textielverf. De piratenvlaggen en -ballonnen komen uit de feestwinkel. De slinger is gemaakt van driehoeken zwarte en witte stof die aan een touwtje gestikt zijn. Het piratensymbool op de zwarte driehoeken is aangebracht met een zelfgemaakte sjabloon.

Stoere avonturen op zee beleef je niet alleen in boeken – met een beetje creatief denken kan het thuis ook!

piraten

ONDER Piratenkostuums zijn makkelijk te improviseren. Ieder kind, hoe verlegen ook, laat zich wel in een afgeknipte spijkerbroek met gestreept T-shirt hijsen.

Een piraat is natuurlijk ondenkbaar zonder zijn vlag met doodshoofd en gekruiste beenderen. Is decoraties maken niets voor jou, dan vind je bij de feestwinkel volop piratenvlaggen en zwarte ballonnen om een geweldig piratenfeest op touw te zetten. De kostuums van de kinderen doen de rest.

Houd je echter wel van een creatieve uitdaging en heb je een klimrek, boomhut of tuinhuisje, maak daar dan een piratenschip of schuilplaats op een onbewoond eiland van. Ook hier staat de piratenvlag centraal. Die kun je zelf maken van een groot stuk zwarte stof en witte plakkaatverf.

Om een klimrek, boomhut of schuurtje om te bouwen tot galjoen voor plunderende piraten versier je het met slingers, een paar bordjes met 'Verboden toegang' of 'Pas op, piraten!', een paar piraten-vlaggen en een heleboel ballonnen. Maak er eventueel een groot laken of tafelkleed aan vast, beschilderd als een zeil dat opgelapt is na een fikse zeeslag. Golven maak je van plat gevouwen dozen; snijd of knip ze uit met een hobbymes of stevige schaar. Verf de golven met goedkope latex. Om ze rechtop te houden zet je ze tegen de zijkant van het schip of je maakt steunen van restjes karton en die bevestig je met plakband aan de achterkant.

Vindt het feest binnen plaats, zorg dan voor een zeesfeer door de kamer aan te kleden met vellen grondpapier waarop je een zeetafereel met golven en schepen schildert. Vlaggen, slingers en ballonnen zijn binnen net zo leuk als buiten.

BLADZIJDE HIERNAAST, LINKSBOVEN Deze ondeugende piraat draagt een eigen streepshirt met het vestje en de rode broek van een gekocht piratenpak.

BLADZIJDE HIERNAAST, RECHTSBOVEN Een oude speelgoedkist dient als schatkist. Zet hem neer als decoratie of doe de prijsjes voor de spelletjes erin.

BLADZIJDE HIERNAAST, RECHTSONDER Een zelfgemaakt piratenpak is net zo mooi als iets wat je in de winkel koopt. Toch is het gewoon een oud wit overhemd met een afgeknipte spijkerbroek, gecombineerd met een gestippelde sjaal om het middel en een vestje.

BLADZIJDE HIERNAAST, LINKSONDER EN DEZE BLADZIJDE Met zulke accessoires wordt het helemaal echt. Zet een doos met plastic haken en ooglapjes klaar, zodat arriverende piraten zich ermee kunnen uitdossen.

De piratenvlag waarschuwt iedereen dat er piraten komen. De kinderen zelf hebben voldoende aan een ooglapje, een piratenhoofddoek en een gestreept T-shirt of wit overhemd om zich een piraat te voelen. In tweedehands winkels vind je volop kleren waarmee je een piratenoutfit kunt samenstellen. Knip een oude spijkerbroek vlak onder de knie af en rafel hem uit. Een wit overhemd erbij met hier en daar een opgestikt lapje, een vestje, een hoofddoek en klaar is je zeeschuimer!

Zit de stemming er nog niet echt in of kennen de gasten elkaar niet, breek het ijs dan met een schatkist vol interessante attributen, zoals ooglapjes, geldbuideltjes met 'dukaten' en nepbaarden. Zet de kist midden in de kamer, noem de namen van de gasten een voor een en laat iedere piraat iets uit de kist halen wanneer je zijn naam noemt.

Piratenhoeden versieren is leuk en heel geschikt om samen te doen. Zet alles van tevoren klaar en zorg ervoor dat je ruim voldoende hebt voor alle genodigden. Er is namelijk vast wel een kind dat niet tevreden is met het resultaat en opnieuw wil beginnen. De afgebeelde piratenhoeden zijn gemaakt van twee stukken zwart karton of stevig papier. Het ene stuk is een strook die om het hoofd van het kind gaat, het andere stuk is een eenvoudige hoedvorm die je tegen de hoofdband plakt. Geef de kinderen witte plakkaatverf, kwasten en wat plaatjes van doodskoppen en beenderen om na te schilderen, dan zijn ze zomaar een halfuur lekker bezig.

Ook schatzoeken past prima bij het piratenthema en spreekt altijd aan. Houd er rekening mee dat de aanwijzingen voor deze leeftijdsgroep niet te moeilijk mogen zijn. Laat eventueel een van de ouders de piraten helpen met de aanwijzingen om de verborgen schatten te vinden.

LINKSBOVEN Het roer is gehuurd bij een feestwinkel, maar je kunt er ook zelf een maken van karton of iets improviseren met een oud wiel.

LINKSONDER Geef ieder kind een schatkaart en laat ze ieder voor zich of als groep op zoek gaan naar schatten. De schatkaarten zien er echt oud uit als je ze even in sterke thee doopt.

BOVEN EN BLADZIJDE HIERNAAST Met een gestreept T-shirt, een vestje en een hoofddoek heb je al een piratenpak. Een ooglapje en plastic haak maken het nog echter!

Avontuur op zee Organiseer een 'stormbaan' voor je piraten. Maak twee 'eilanden', aan elke kant van de tuin één. Ertussen zet en leg je een rij stoelen, kussens, een plank op bakstenen enzovoort. Vertel de kinderen dat het gras een zee vol haaien is en dat ze van het ene naar het andere eiland moeten komen zonder in zee te vallen. De snelste wint het spel.

planning

Een kind van drie geniet al echt van een feestje en een kind van vier verwacht niet alleen een feestje maar heeft ook vastomlijnde ideeën over de invulling daarvan. De meeste drie- en vierjarige gasten worden vergezeld door minimaal een van de ouders en misschien een broertje of zusje. Vijfjarigen kunnen het wel alleen af, waardoor de groep beter hanteerbaar is.

WAAR GAAT HET GEBEUREN?

• Laat de locatie afhangen van het aantal gasten. Een grote groep kinderen bezighouden terwijl je ook hun ouders en broertjes/zusjes van het nodige moet voorzien, is een hele klus en vergt een behoorlijke ruimte.

• Nodig niet te veel kinderen uit. Voor deze leeftijdsgroep kun je een feestje het best bescheiden houden, in totaal zo'n zes à acht kinderen.

• Heb je thuis genoeg ruimte, dan is de keuze makkelijk: je hoeft niets te huren, het maakt niet uit als het weer tegenzit, er is een toilet en je hoeft geen eten te vervoeren.

• Komen er zo veel gasten dat het thuis niet kan of zie je op tegen de rommel, probeer dan een zaal te huren in het buurthuis of bij een kerk.

• In de zomer kun je uitwijken naar het park. De meeste spelletjes zijn daaraan aan te passen en kinderen zijn dol op een picknick.

HOE LAAT?

• De beste tijd is van 11.00 tot 13.30 uur voor spelletjes en een lunch, of van 15.00 tot 17.00, waarbij je kunt afsluiten met een feestmaal.

WAT ZETTEN WE DE GASTEN VOOR?

• Houd het simpel: sandwiches in leuke vormpjes (zie blz. 114), reepjes groente en kerstomaatjes. Worstjes aan een prikker en blokjes ananas met kaas zijn ook leuk en makkelijk. Maak de keuze niet te groot en begin met hartige hapjes voordat je zoetigheid op tafel zet.

• Voor een buitenfeest kun je een picknick houden met kartonnen lunchdozen. Een sandwich, een zakje popcorn, een pakje drinken en een lekkere koek erin, meer hoeft niet. Is het lastig om een taart mee te nemen, geef de kinderen dan ieder een versierd cakeje en zet daar een kaarsje in.

PRIJSJES EN AFSCHEIDSCADEAUTJES

• Misschien kun je aanhaken bij een 'erkende' gelegenheid. Geef in december bijvoorbeeld een pakje vlechtstroken of iets om in de kerstboom te hangen en een koekje met naam. Rond Halloween zijn plastic spinnen en spookmaskers ideaal.

• Drie- en vierjarigen zijn al blij met een grote koek of peperkoekfiguur (zie blz. 128), zeker als daar de eerste letter van hun naam op staat en hij mooi ingepakt is met een ballon erbij.

• Willen de gasten niet naar huis, haal dan de afscheidscadeautjes tevoorschijn. Geef die pas als je gasten vertrekken, dan is je huis gegarandeerd in een mum van tijd leeg!

• Een potje bellenblaas lijkt leuk en is niet duur, maar de meeste ouders hebben er een hekel aan omdat kleine kinderen er onderweg naar huis vaak mee zitten te knoeien in de auto.

• Een tip over de prijsjes: als je snoep geeft als prijsje, eten de kinderen straks niets van de hapjes die je hebt klaargemaakt. Geef liever stickers. De winnaar krijgt een heel vel, de andere spelers krijgen

ieder één sticker zodat iedereen wat heeft.

SPELLETJES EN ACTIVITEITEN

Derde verjaardag

• Houd de spelletjes eenvoudig, zonder lange uitleg. Schatzoeken naar chocolademunten of plastic dier-figuurtjes vindt iedereen leuk (verstop ze niet te goed!).

• Bonsdans (zie blz. 102) is heel geschikt voor deze leeftijd.

• Kinderen van drie willen de meeste spelletjes een paar keer doen. Met schatzoeken en Bonsdans houd je ze bezig tot het tijd is om aan tafel te gaan.

• Bij een buitenfeest heb je voldoende aan een bal. Zorg voor een gevarieerde picknick, dan vermaken zowel volwassenen als kinderen zich.

Vierde verjaardag

• Pakje Doorgeven (zie blz. 103) is leuk, maar soms moet je even helpen. Donuthappen of de eenvoudige versie van het Chocoladespel (zie blz. 104) is leuk voor zowel kinderen als ouders.

• Is er een park in de buurt, geef dan een fietsfeest. Laat iedereen verzamelen op een afgesproken plek in het park. Zet vanaf daar een route uit naar de picknickplaats (niet te lang, ze kunnen hem altijd twee keer rijden). Zodra iedereen er is, kunnen de kinderen als groep vertrekken onder toezicht van de ouders. Met een dergelijk buitenfeest ben je minder afhankelijk van het weer. Fietsen in de regen is net zo leuk als wanneer de zon schijnt, mits je een overdekte plek hebt voor de picknick.

Vijfde verjaardag

• Alle bovengenoemde spelletjes komen in aanmerking, plus Ezeltje Prik (zie blz. 103). Sommige kinderen vinden een blinddoek echter eng.

• Standbeeldendans en Slapende Leeuwen (zie blz. 102) zijn eveneens ideaal voor deze leeftijd.

BLADZIJDE HIERNAAST
Cowboys en cowgirls
eten aan een tafel
gemaakt van strobalen
(verkrijgbaar bij de
manege of dierenwinkel).
De cactussen zijn gemaakt
van beschilderd karton
en verstevigd met
bamboestokken.

LINKS De hoofdtooi
van dit opperhoofd is
zo gekocht, maar
hobbywinkels verkopen
ook gekleurde veren.

RECHTS Als een echt
kampvuur niet kan,
maak je een nepvuur van
een hoop takjes met
vlammen van rood en
geel vloeipapier.

ONDER Een waszak met
cowboy erop bevat de
prijsjes.

Een westernfeest heeft voor ieder wat wils. De kostuums zijn makkelijk (iedereen heeft wel een spijkerbroek), net als de hapjes: hamburgers, hotdogs en maïskolven.

western

Een wildwestsfeer creëren in de achtertuin is verrassend eenvoudig en je hebt er maar weinig voor nodig: een paar hooibalen (verkrijgbaar bij de dierenwinkel of manege), geblokt katoen en een paar cactussen die je uit kartonnen dozen knipt.

Heb je tijd en zin, maak dan een blokhut van karton dat je beschildert als hout en een nepkampvuur van echte takjes met vlammen van vloeipapier. Of pak eens uit en laat je inspireren door de foto's 'achter de schermen' bij westerns uit Hollywood, waarop je ziet dat die karakteristieke cowboystadjes niet meer zijn dan een stel decorstukken. Datzelfde kun je thuis doen met kartonnen dozen en een paar blikken goedkope verf. Maak de dozen plat en snijd ze in stukken of plak ze met stevig dozentape aan elkaar tot de gewenste vormen. Schilder vervolgens de details erop in een kloeke, simpele stijl, een beetje zoals een stripverhaal. Bevestig met dozentape bamboestokken tegen de achterkant en prik de 'bouwsels' zo in de grond, net als een windscherm op het strand. Vindt het feest binnen plaats, dan kun je gewoon een wildweststadje op goedkoop grondpapier schilderen.

Een speelhuisje is eenvoudig aan te passen aan dit thema. Hang er een bordje met 'Sheriff' of 'Saloon' op en bevestig wat geblokte gordijntjes voor de ramen. Een indianentent improviseer je met bamboestokken waarover je lakens of een tafelkleed drapeert.

De kostuums voor een cowboyfeest zijn helemaal een fluitje van een cent. Voor zowel jongens als meisjes heb je genoeg aan een spijkerbroek, een geruit of jeansoverhemd en een cowboyhoed. Met een paar opgestikte lapjes geblokt katoen of suède geef je een gewoon jeanshemd een echt westerntintje. Bij tweedehands winkels vind je allerlei bruikbare kledingstukken van bijvoorbeeld (imitatie)suède of leer die je kunt verknippen tot beenstukken, vestjes en tunieken.

Wat de kleding betreft, heb je bij een westernthema meer keuze dan alleen cowboys. Meisjes die per se geen spijkerbroek aan willen, kunnen zich verkleden als revuedanseressen uit

BOVEN De franje aan dit jeanshemd is gemaakt van een oude, imitatiesuède rok uit de tweedehands winkel. De cowgirl op de achtergrond draagt een witte bloes met rood geruite franje. Met een naaimachine heb je die er zo aan gestikt. Knip de lapjes met een kartelschaar, dan hoef je ze niet om te zomen.

LINKS Accessoires uit de feestwinkel, zoals deze plastic pijl of pistooltjes waar een vlaggetje met 'BANG!' uit komt, zijn perfect voor dit thema.

BLADZIJDE HIERNAAST Aangekleed speelhuis.

de saloon, wat veel meer glamour heeft! Geef ze fluwelen jurken afgezet met kant en veren in hun haar. Oppassende jongens bombardeer je tot sheriff met een glimmend insigne en een vest. En vergeet ook de opperhoofden en indianenmeisjes niet met hun spectaculaire pakjes. Een eenvoudige indianentuniek maak je van oude lakens of een stuk imitatiesuède. Knip onderaan franje en stik er gekleurde bandjes op bij wijze van borduursel. Indiaanse hoofdtooien zijn te koop bij speelgoed- en feestwinkels, maar je flanst ze makkelijk zelf in elkaar met een zak veren uit de hobbywinkel.

Hoe uitbundiger de attributen en decors zijn, hoe mooier de kinderen het vinden. Karton is verrassend stevig, mits je het niet in de regen laat staan. Gooi je creaties dus niet weg; na het feest kunnen je kinderen nog heel lang spelen met de cactussen, saloon en gevangenis.

LINKS Maak hoofdtooien van een strook vrolijke stof of meubelband met gekleurde veren. Schmink hoort erbij.

LINKSONDER Kartonnen klapdeurtjes maken van je terras een echte saloon.

RECHTS Deze reuzencactussen zijn gemaakt van grote verpakkingsdozen, die in vorm geknipt en beschilderd zijn. Met lange bamboestokken aan de achterkant worden ze in de grond geprikt.

BLADZIJDE HIERNAAST Een vrolijke indianentent vult het speelhuisje van de sheriff aan, zodat er twee kampen zijn.

Maak er een wild feest van Een westernfeest leent zich voor allerlei wilde spelletjes. Laat de indianenmeisjes tegen de krijgers strijden, de sheriffs tegen de boeven of, heel klassiek, de cowboys tegen de indianen!

De paillettenglamour van een trapezeartiest, maffe clowns, een circusfeest biedt allerlei aanknopingspunten om de verkleedkist in te duiken en je fantasie te gebruiken.

circus

Natuurlijk, je kamer ombouwen tot circustent kost wat moeite, maar dat is het waard. Want wat is een circus nou zonder tent?

Een tent maken is niet moeilijk en er komt geen naaimachine aan te pas. Wel heb je een heleboel stof nodig en moet je wat fröbelen met nietjes en touw. De benodigde hoeveelheid stof kun je schatten, maar het is verstandiger het even goed op te meten. Bevestig daarvoor het uiteinde van een bol touw aan het plafond, daar waar de punt van de tent moet komen. Rol het touw uit naar de muur toe,

zodanig dat het met een mooie boog slap hangt, bevestig het daar aan de muur en laat de bol vallen. Knip het touw door iets voorbij het punt waar het de grond raakt. Haal het touw naar beneden en meet het op. Nu weet je hoe lang één strook stof moet zijn. Vermenigvuldig deze lengte met het gewenste aantal stroken. Koop de lichtste, goedkoopste en kleurigste stof die je kunt vinden.

Laat de stof in de winkel in stukken van de benodigde lengte knippen. Leg alle stukken op elkaar en knoop ze aan één kant samen met een

BLADZIJDE HIERNAAST, UITERST LINKS EN DEZE BLADZIJDE Een speelgoedmand vol fopdingen is handig om het ijs te breken. Laat de kinderen lekker hun gang gaan en plezier maken.

BLADZIJDE HIERNAAST, RECHTSBOVEN Een glitterhoed uit de feestwinkel maakt het zelfgemaakte pak van de spreekstalmeester af. Het kostuum bestaat uit een balletmaillot en een vest met bijpassende polsbandjes, geknipt uit een paillettenjurk van de rommelmarkt.

BLADZIJDE HIERNAAST, RECHTSONDER Voor de manen van dit lieve leeuwtje knip je een gat in een ovaal stuk imitatiebont, waarna je het bont op een plastic diadeem naait. De neus en snorharen zijn geschminkt.

BLADZIJDE HIERNAAST Kinderen vinden het prachtig om iets te pakken van een buffet, zeker als het net een kermiskraampje lijkt. Knip stroken van goedkoop rood en geel katoen, vouw de randen om en plak ze vast met dubbelzijdig tape.

LINKS Laat de gasten om de beurt poseren als sterke man! Schilder de figuur met plakkaatverf op een groot stuk karton.

RECHTSBOVEN Serveer popcorn in zelfgemaakte papieren hoorntjes – papier oprollen en vastzetten met plakband.

ONDER Versier gekochte koekjes in circusstijl of bak ze zelf (zie recept op blz. 129).

touw. Dit wordt het midden van de tent. Bevestig de geknoopte uiteinden in het midden van het plafond. Pak een van de stroken en trek die naar de bovenkant van de muur. Laat de strook slap hangen en bevestig de stof met nietjes of punaises tegen de muur. Laat het uiteinde los hangen. Ga zo door tot je hele tent klaar is.

Heb je stof over, leg die dan als kleed over de tafel of als luifel over een kraampje met eten. Zet kleurige plastic schalen met popcorn klaar en doe die voor de kinderen in een papieren hoorntje. Koop papieren bordjes en bekers in bonte kermiskleuren of met strepen in de kleur van de circustent.

Bij een circus horen clowns, artiesten en een spreekstalmeester met hoge hoed. Dat weten alle kinderen, ook al zijn ze nog nooit naar een circus geweest. Vroeger traden er ook leeuwen, tijgers, zeeleeuwen en olifanten op in het circus. Volop mogelijkheden voor kostuums dus. In de winkel is van alles te koop, maar zelf maken is simpel en kan ook heel leuk zijn!

Komt dat zien, laat je schminken! Een goede schminkset is een verantwoorde investering, ook als je niet zo handig bent met schminken. Kinderen vinden het prachtig om geschminkt te worden en malen niet om scheve lijntjes, als de kleuren maar lekker fel zijn.

LINKSBOVEN EN MIDDEN
Zet een schminktafel neer en stem de schmink af op het kostuum van het kind. Vraag een andere moeder om je te helpen, dan gaat het sneller.

LINKS EN RECHTSBOVEN
Deze trapezeartiest draagt een glittermaillot met een verenboa als tutu. Op de paillettenpumps zijn zijden strikjes genaaid. Het metallic masker komt uit de feestwinkel.

Een clownspak maak je van een te grote, gestreepte pyjamabroek, bretels, een felgekleurd T-shirt en schoenen van papa. Een grote rode neus hoort erbij. Een trapezeartiest draagt een balletpakje, glittermaillot en verenmasker. Voor dieren ga je op zoek naar basiskleren zoals leggings, maillots en T-shirts in de juiste kleuren (bruin, geel, zwart of oranje, al naar gelang het dier). Die vul je aan met karakteristieke details, zoals grote kartonnen oren voor een olifant, woeste manen voor een leeuw of geschminkte strepen voor een tijger.

Verklede kinderen vinden het altijd leuk om elkaar te bewonderen. Zet marcheermuziek op en organiseer een circusoptocht om het feest in te luiden. Deel prijsjes uit voor de kostuums en let erop dat iedereen iets krijgt voor een bepaald aspect van zijn kostuum.

DEZE FOTO, RECHTSBOVEN EN RECHTSONDER Deze clown ziet er fantastisch uit met zijn grote rode neus, streepjesbroek en grote schoenen. Alleen de hoed, neus en schoenen zijn gekocht; de rest van zijn pak is zelfgemaakt. Het jasje is opgeleukt met kleurig band en grappige knopen. Met zijn geschminkte grote rode mond en gekke wenkbrauwen lijkt hij net echt. Voor zo'n grappig effect hoef je niet goed te kunnen schminken. Je begint met een basiskleur, zoals wit, roze of geel en dan breng je eenvoudige details aan. Hier (rechtsboven en -onder) wilden de kinderen alleen een paar leuke motiefjes, zoals vlinders, hartjes en schoonheidsvlekjes.

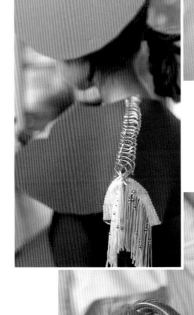

BLADZIJDE HIERNAAST Een kartonnen raket, geleverd als plat bouwpakket, is verfraaid met aluminiumfolie en uit cadeaupapier geknipte figuren. Hij vormt het middelpunt van de maankamer. Het pak van het ruimtemeisje is gemaakt van rubberen slaapmatjes.

LINKS De blauwe sterren op de grond zijn uit slaapmatjes geknipt en dienen als knielkussentjes bij de lage theetafel.

RECHTS Rubberen vingermonsters zijn perfect als prijsje of afscheidscadeautje.

ONDER MIDDEN De details van het ruimtepak zijn gewoon opgeplakt.

ONDER RECHTS Waterpistolen doen dienst als straalgeweren!

Met al die ruimtewezens en astronauten lijkt je huis net een ruimtestation ergens in het heelal. Decoratieve sterren en planeten maken de sfeer compleet.

ruimtevaart

Wat voor stijl decoraties je kiest voor een ruimtefeestje hangt af van je beschikbare tijd en of je het leuk vindt om te fröbelen met eierdozen, aluminiumfolie, karton en spuitbussen zilververf!

Met zilveren sterren en een paar planeten heb je de kamer zo aangekleed. Knip sterren in diverse maten uit karton of verpakkingsdozen. Beplak ze met aluminiumfolie, bevestig er een katoenen draad aan en hang ze aan het plafond of voor de ramen. Planeten maak je op dezelfde manier. Je kunt ook een paar goedkope papieren bollampen kopen en die beschilderen als de maan en kleurrijke planeten.

Een raket is een doeltreffend middelpunt voor een ruimtevaartfeest. Hij ziet er super uit en is niet moeilijk te maken. Er bestaan bouwpakketten voor kartonnen speelhuisjes in de vorm van een raket. Je kunt ook zelf aan de slag met een aantal grote kartonnen dozen. Vraag bij een warenhuis naar wasmachine- of koelkastdozen. Gebruik de hoogste doos als romp van de raket en modelleer de neuskegel uit een kleinere doos. Plak alles met klustape aan elkaar.

Ben je in een creatieve bui, vul het ruimtethema dan aan met een

INZET, LINKS Het pak van dit rare ruimtewezen is gehuurd. De vijf ogen op steeltjes dienden als inspiratie voor de schmink.

BLADZIJDE HIERNAAST Grote en kleine kartonnen sterren, beplakt met aluminiumfolie, hangen aan wit garen aan het plafond zodat het net lijkt of ze zweven.

DEZE BLADZIJDE De tafel is omgetoverd in een spectaculair maanlandschap. Je maakt het binnen twintig minuten van plastic bloempotjes, een stuk spaanplaat, een lap katoen en een doosje muurvuller in poedervorm.

maanlandschap op tafel. Het ziet er ingewikkeld uit, maar het is in twintig minuten klaar en je kinderen kunnen er mooi bij helpen. Het is wel een vreselijke knoeiboel, dus leg een oud laken op de grond of nog beter: doe het in de tuin.

Neem een stuk spaanplaat dat ongeveer even groot is als de tafel. Zaag de bodem van een paar plastic bloempotten en lijm ze ondersteboven op het spaanplaat. Neem een flinke lap katoen, zo groot dat hij over de rand van de tafel hangt en een kuil vormt in de bloempotten. Meng in een emmer een pakje muurvuller met zo veel water dat je een dikke maar wel gietbare massa krijgt, zoals lobbig geklopte slagroom.

Nu komt het leukste! Strijk de massa met je handen of een flinke verfkwast grof uit over de hele lap katoen. Door het gewicht zakt de stof in de bloempotten, zodat er maankraters ontstaan. Het mengsel droogt snel, maar het duurt minstens een halve dag voordat het helemaal uitgehard is. Laat de plaat dus even rustig liggen.

Spreekt knoeien met muurvuller je niet aan, maak je dan geen zorgen. De ruimtepakken zijn makkelijk te maken en zien er zo goed

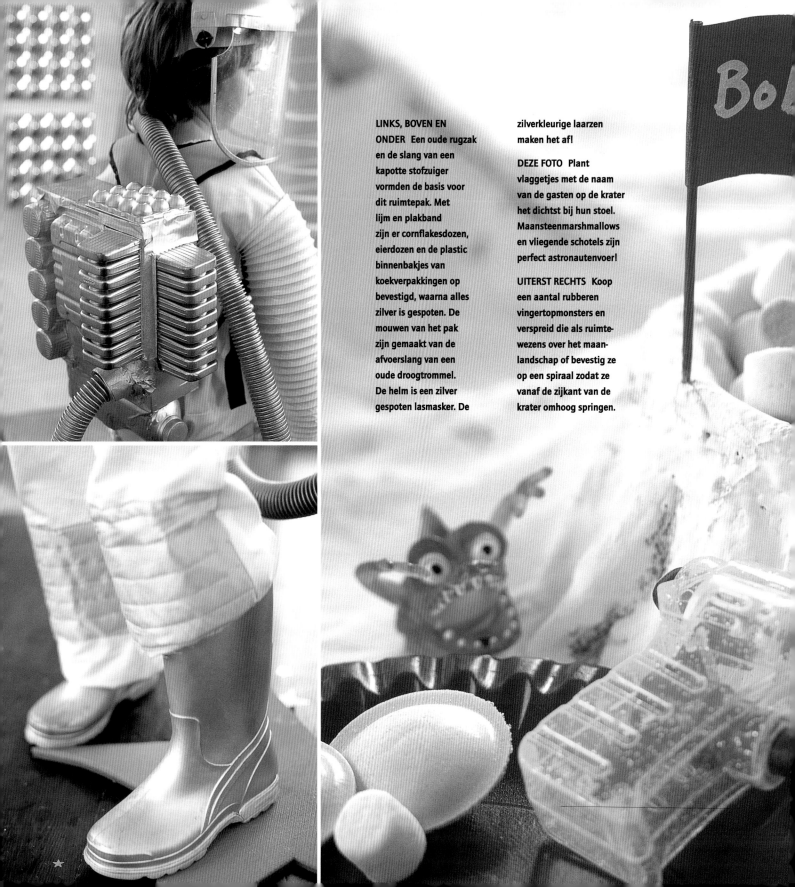

LINKS, BOVEN EN ONDER Een oude rugzak en de slang van een kapotte stofzuiger vormden de basis voor dit ruimtepak. Met lijm en plakband zijn er cornflakesdozen, eierdozen en de plastic binnenbakjes van koekverpakkingen op bevestigd, waarna alles zilver is gespoten. De mouwen van het pak zijn gemaakt van de afvoerslang van een oude droogtrommel. De helm is een zilver gespoten lasmasker. De zilverkleurige laarzen maken het af!

DEZE FOTO Plant vlaggetjes met de naam van de gasten op de krater het dichtst bij hun stoel. Maansteenmarshmallows en vliegende schotels zijn perfect astronautenvoer!

UITERST RECHTS Koop een aantal rubberen vingertopmonsters en verspreid die als ruimtewezens over het maanlandschap of bevestig ze op een spiraal zodat ze vanaf de zijkant van de krater omhoog springen.

Verloren voorwerpen Tijdens een feestje raken kinderen vaak iets kwijt. Zet een doos neer voor gevonden straalgeweren en helmen zodat de kinderen ze straks weer mee naar huis kunnen nemen.

uit dat de sfeer er toch wel in komt. Het schitterende zilveren ruimtepak is gemaakt van een oude rugzak waarop we diverse plastic inzetbakjes van chocola en dergelijke hebben geplakt en delen van een kapotte stofzuiger. Hierna hebben we alles zilver gespoten. Om zijn armen draagt de astronaut de afvoerslang van een oude droogtrommel.

Het kostuum van het grappige ruimtemeisje is gemaakt van goedkope slaapmatjes waar we grote cirkels uit hebben geknipt voor het rokje, het bovenstuk en het hoofddeksel. In het rokje en het bovenstuk hebben we in het midden een gat geknipt. De manchetten zijn geknipt uit restjes en vastgezet met linten. Tot slot is de franje erop gelijmd.

UITERST LINKS Maak glas-in-loodramen door de ruiten te beplakken met gekleurd cellofaan. Wapenschilden van dun, zilverkleurig karton maken het nog spectaculairder.

LINKS Deze hoed is gehuurd, maar van restjes stof en een kegel van opgerold karton kun ook zelf iets improviseren.

Dit feest is geïnspireerd op de vlaggen en banieren, die een grote rol spelen bij een middeleeuws steekspel. De stoere decoraties zijn eenvoudig en leuk om te maken. De kinderen helpen je graag om een riddertoernooi op te zetten.

ridders en jonkvrouwen

Het bijzondere van dit thema is dat het zowel jongens als meisjes enorm aanspreekt. Daarom is het heel geschikt voor deze leeftijdsgroep. Op hun zesde (en vaak al eerder) maken kinderen scherp onderscheid tussen speelgoed, spelletjes en kleuren voor jongens en voor meisjes. Bij verkleedpartijtjes kan dat soms problemen geven. Sommige meisjes voelen bijvoorbeeld niets voor een thema als astronauten en cowboys, want dat is voor jongens. Jongens vinden het circus soms een beetje voor meisjes.

Bij stoere ridders en beeldschone jonkvrouwen spelen die problemen echter niet. Met een helm op en een plastic zwaard in hun hand zien jongens niet eens dat de andere helft van de gasten rondzwiert in roze prinsessenjurken met punthoeden en sluier – en omgekeerd.

De decoraties voor dit thema kun je prima samen met je kinderen maken. Er komt alleen wat knip- en plakwerk bij kijken. Zodra je een ontwerp hebt, maak je de banieren en vlaggen aan de lopende band.

BLADZIJDE HIERNAAST Banieren aan bamboestokken en vlaggenslingers van pakpapier zijn met plakband langs de boekenkast bevestigd. Zo heb je in een wip een koninklijk paleis! De decoraties zien er fantastisch uit, maar zijn heel simpel te maken.

Voor de hangende banieren plak je twee vellen papier op A2-formaat langs de korte kant tegen elkaar. Versier ze met motieven die je uit een andere kleur papier knipt. Het geheim is om de details simpel te houden; kloeke vormen als schilden, vierkanten en cirkels werken het best. Onder aan elk banier plak je twee slippen van grote papieren driehoeken. Stevig knutselpapier is ideaal voor deze banieren; dit koop je in grootverpakking bij de speelgoed- of hobbywinkel.

Net als bij de andere thema's heb je thuis vast wel geschikte attributen staan. Hier is een antieke stoel omgetoverd tot troon voor de jarige jonkvrouw. Aan weerszijden staan tuinfakkels met bovenin vlammen van een prop papier en cellofaan.

Andere attributen zoals zwaarden en schilden maak je van karton en aluminiumfolie. Wil je liever iets stevigers, neem dan plastic versies uit de speelgoed- of feestwinkel. Ook helmen zijn daar verkrijgbaar.

Voor een wapenrusting heb je een kartonnen

BLADZIJDE HIERNAAST
Zelfgemaakte hoeden en kronen zien er professioneel uit als je chique stof gebruikt, glanzend papier, plastic juwelen en imitatiebont als versiering.

LINKSONDER Deze helm is gemaakt van papier-maché. Neem een mal die ongeveer even groot is als het hoofd van je kind, zoals een plastic kom of opgeblazen ballon. Smeer die in met vaseline en breng de lagen papier-maché aan. Schilder de helm na droging zilver en werk hem af met een paar lagen vernis.

ONDER Voor een koninklijke Bonsdans leg je fluwelen kussens neer.

RECHTSBOVEN
Speelgoedridders geven de tafelschikking aan.

doos nodig, een bol touw en een spuitbus zilververf. Knip of snijd twee rechthoeken uit de doos voor de borstplaat voor en achter. Knip twee stroken van ongeveer 5 à 10 cm breed en zo lang dat ze van voren naar achteren over de schouder passen. Maak gaatjes in de uiteinden van de stroken en in de bovenhoeken van de borstplaten. Knoop de stroken met stevig touw aan de hoeken en spuit het 'harnas' zilver. Maak tot slot bij beide panelen aan weerszijden een gaatje halverwege de zijkant en haal hier een stukje touw door zodat je het harnas kunt dichtknopen als het kind erin zit.

Kostuums voor de jonkvrouwen zijn heel makkelijk. Een mooie feestjurk en een hoge punthoed, meer heb je eigenlijk niet nodig. Of misschien een kroon boven op een doorzichtige sluier. Voor de punthoed draai je een groot vel dun karton tot een kegel. Zet de rand vast met plakband en nietjes en bedek hem met mooie stof of cadeaupapier. Bevestig bovenaan een lang lint, een mooie sjaal of een lap dunne gekleurde stof bij wijze van sluier.

LINKS De jarige jonkvrouw ontvangt haar gasten deftig op haar troon gezeten.

BOVEN De fakkels aan weerszijden van de troon komen uit een tuincentrum. Ze zijn bedoeld voor grote waxinelichtjes in de tuin. Hier zijn ze gevuld met vlammen van proppen geel en rood vloeipapier met cellofaan.

BLADZIJDE HIERNAAST, MIDDEN BOVEN Punthoed bekleed met brokaat.

BLADZIJDE HIERNAAST, RECHTSBOVEN Een stoere schildwacht houdt zijn brandende fakkel vast.

BLADZIJDE HIERNAAST, LINKS- EN RECHTSONDER Een professioneel gemaakt kostuum is een goede investering als je kind vaak riddertje speelt.

Riddertaken Een opdrachtenspel is ideaal voor een ridders-en-jonkvrouwenfeest. Schrijf een aantal eenvoudige opdrachtjes op stukjes papier en doe die in een schaal. Ieder kind pakt er iets uit en krijgt een sticker als hij de opdracht goed uitvoert. Het kind met de meeste stickers wint.

planning

Als kinderen zes zijn, komen de ouders niet meer mee naar feestjes. Heb je de hele klas uitgenodigd, schakel dan een paar andere moeders in om je te assisteren.

WAAR GAAT HET GEBEUREN?

• Dat hangt af van het soort feest, het aantal gasten en je programma.

• Op deze leeftijd weten kinderen heel goed wie ze willen uitnodigen en dus komen er soms minder of juist veel meer kinderen dan in voorgaande jaren. Dat is bepalend voor de locatie.

• Ga bij jezelf na of je huis berekend is op dertig kinderen. Zou een zaaltje huren niet verstandiger zijn?

• Met een grote tuin kun je een sportdagfeest of andere buitenactiviteiten thuis organiseren, of je wijkt 's middags uit naar het park.

HOE LAAT?

• Ga uit van wat jou het best uitkomt. Meteen na school, van 3 tot 5? Of liever in het weekend en dan met een lunch of avondeten erbij?

• Is je kind van tevoren altijd erg opgewonden, plan het feest dan vroeg in de middag, dan hoeft hij zich niet zo lang in te houden!

WAT ZETTEN WE DE GASTEN VOOR?

• Bij een feestje meteen na school geef je de kinderen bij binnenkomst eerst iets te eten en te drinken, want ze hebben honger. Na een zakje chips of fruit begin je aan de spelletjes.

• Stem de maaltijd af op het thema en de locatie. In het park ga je picknicken; eventueel geef je ieder zijn eigen picknickdoos met sandwich, fruit, chips en een geglazuurd cakeje.

• Een feestje na school kun je afsluiten met het favoriete gerecht van je kind, bijvoorbeeld spaghetti met ijs toe. Wil je kind liever patat met frikadellen? Geen punt!

• Plan het kaarsjesritueel vlak voordat de kinderen naar huis gaan en geef ze allemaal een stuk taart mee.

PRIJSJES EN AFSCHEIDSCADEAUTJES

• Probeer de cadeautjes af te stemmen op het thema, want de kinderen zijn nu zo groot dat ze dat waarderen.

• Karamelappels zijn leuk om mee naar huis te geven bij cowboy- of circusfeestjes en passen ook goed bij Halloween. Voor astronauten bevestig je er cadeaulinten aan zodat het meteoren lijken met een vuurstaart.

• Voor een westernthema kun je denken aan minicactusjes in cellofaan, voorzien van de naam van de gast. Vul ze eventueel aan met cowboydingetjes zoals een gum en stickers.

• Plastic zwaarden zijn niet duur en perfect om mee te geven aan ridders. Jonkvrouwen maak je blij met grote plastic ringen en meisjesfrutsels zoals haaraccessoires, handspiegeltjes of make-up.

• Bij een circusfeestje passen vrolijke gummetjes en pennen in circuskleuren of klassiekers uit de feestwinkel, zoals een bloem die water spuit.

• Stickers van raketten of sterren, opblaasbare wereldbollen en ruimtewezens voor op een pen zijn ideaal voor een ruimtefeestje.

• Scheetkussens en zulke grappen vallen bij alle leeftijdsgroepen in de smaak. Jongetjes zijn altijd dol op rubberen insecten en stuiterballen.

SPELLETJES EN ACTIVITEITEN

• Voor deze leeftijdsgroep komen vrijwel alle spelletjes in aanmerking. Bijna al de spelletjes op bladzijden 102-107 kun je aanpassen voor kinderen van zes en ouder.

• Pakje Doorgeven met na elke laag een opdracht (zie blz. 103) is een goede binnenkomer, net als Stoelen-, Bons- en Standbeeldendans (zie blz. 102). Dit zijn ook goede activiteiten om wat energie kwijt te raken aan het begin van het feest of voor het eten.

• Ezeltje Prik (zie blz. 103) kun je afstemmen op het thema met een draak, ruimtewezen of circusdier. Alle kinderen kennen deze klassieker.

• Zorg ook voor een paar spelletjes zonder prijzen, zoals Hoe laat is het, meneer de wolf? (zie blz. 106). Dit zullen de kinderen meerdere keren willen doen.

• Heb je een sportdag als thema, beperk het programma dan tot klassieke renspelletjes (zie blz. 107) met een paar andere activiteiten zoals Appelhappen en Donuthappen, zodat de minder sportieve gasten ook een kans hebben om iets te winnen.

• Heb je thuis weinig ruimte, doe dan alleen spelletjes die rond de tafel worden gespeeld, zoals het Geheugenspel (zie blz. 105) of het Meelspel (zie blz. 104).

• Kleinere groepen kun je leuk bezighouden met een knutselwerk, zoals bloempotten, T-shirts of maskers beschilderen. Alle kinderen zitten rond de tafel met verf, lijm en decoraties. Sein de ouders wel in of zorg voor schorten, want het is zonde als de feestkleren vies worden.

LINKS EN RECHTS
Kleurige decoraties bepalen het thema voor dit feest. Grote tropische bloemen (rechts) maak je van felgekleurd vloeipapier. Knip twee achten uit papier en leg die kruislings op elkaar. Buig een pijpenrager dubbel en steek die als meeldraden door het midden van de bloem. Draai onderaan een stuk plakband rond de bloem om alles op zijn plaats te houden.

Maak een tropisch paradijs, ongeacht het weer, met trendy decoraties in fel roze, groen en blauw. Laat de gasten in hun schreeuwerigste shirt en grootste zonnebril komen, of met een hawaïrokje en bloemenslinger.

tropisch eiland

Hoelahoelameisjes, Hawaïshirts, bloemenslingers en drankjes met gekke namen zijn de belangrijkste ingrediënten voor een feestje met een tropisch thema. Als het weer het toelaat en je tuin groen genoeg is, dan kunnen tafels met raffia parasols voor de sfeer zorgen. Die zijn tegenwoordig te koop bij tuincentra, maar je kunt ook je eigen tuinparasol aankleden met franjes van vloei-papier.

Felgele en -groene tafelkleden versterken de tropische sfeer, net als kleurige bloemenslingers die je overal ophangt (vindt het feest binnen plaats,

hang ze dan als guirlande langs de boekenkast, ramen en open haard).

Veel van de papieren decoraties op de foto's zijn verkrijgbaar bij feestwinkels of warenhuizen. Liever zelf maken? Zorg dan voor een schaar, lijm, pijpenragers en een heleboel kleurig vloeipapier. Voor de tropische bloemen knip je grote achten uit vloeipapier. Leg er twee kruislings op elkaar. Buig voor de meeldraden twee rode of gele pijpenragers dubbel, krul de uiteinden om en steek ze door het hart van de papieren bloem. Draai het midden van het vloeipapier om de dubbel gebogen pijpenragers,

BLADZIJDE HIERNAAST
Stel een weelderig tropisch paradijs samen met passend aangekleed tuinmeubilair. De tropische parasols komen uit het tuincentrum. De papieren bloemen en guirlandes zijn deels gekocht, deels zelfgemaakt.

zet vast met plakband, vouw de blaadjes naar buiten en daar is je exotische bloem. Plaats hier en daar een tuiltje bloemen of rijg ze als een slinger aan een draad.

's Avonds is er natuurlijk ook verlichting nodig. Als er een paar ouders in de buurt blijven, kun je bij grotere kinderen best schalen water neerzetten met drijvende waxinelichtjes. Vooral de bloemvormen zijn heel geschikt als tropische tafeldecoratie. Snoeren feestverlichting zijn er tegenwoordig in allerlei uitvoeringen. Ga op zoek naar bloemen of twinkelende meerkleurige lampjes. Wat kinderen ook aanspreekt, zijn grappige cocktailaccessoires zoals papieren parasolletjes, plastic aapjes en papieren palmboompjes. Vul een emmer met plastic ijsblokjes in allerlei vormen. Zorg voor een bar waar je hapjes en drankjes serveert. Zet kannen neer met tropische punch (zie blz. 125), ananassap en andere exotische vruchtensappen die de kinderen naar eigen idee kunnen mixen.

BLADZIJDE HIERNAAST
Versier drankjes met
papieren parasolletjes en
andere kitscherige
attributen. Zet een bar neer
waar je kindercocktails
serveert van mango- en
ananassap, of zet kannen
tropisch vruchtensap op de
tafels zodat de gasten zelf
kunnen pakken.

DEZE BLADZIJDE Bloem-
vormige waxinelichtjes die
in een schaal water drijven,
zijn mooie tafeldecoraties.
Over de stoelen hangen
bloemenguirlandes die de
kinderen mogen pakken als
aanvulling op hun eigen
kostuum. Bij teamspelletjes
zoals een quiz kun je de
bloemenslingers gebruiken
als herkenning, bijvoorbeeld
roze voor het ene team en
blauw voor het andere.

RECHTS Een kleurige papegaai geeft de 'raffia' parasols een echt tropisch accent!

INZET Zonnebrillen en bloemenslingers die je bij binnenkomst uitdeelt, brengen iedereen in de stemming, net als de exotische 'cocktails' in grote glazen versierd met gekke accessoires.

BLADZIJDE HIERNAAST, RECHTSBOVEN Felgekleurde snoepjes staan heel decoratief.

BLADZIJDE HIERNAAST, RECHTSONDER Mooie papieren lampionnen staan altijd leuk, zowel overdag als 's avonds wanneer ze branden. Hang ze rond de tafels, aan de bomen en als versiering bij de bar.

Heel volwassen Op deze leeftijd gedragen kinderen zich graag als kleine volwassenen. Als er muziek is, vinden de gasten het heerlijk om lekker te kletsen en elkaars kostuum te bewonderen. Wat vermaak betreft, zijn een of twee activiteiten voor of na het eten voldoende. Denk bijvoorbeeld aan een quiz en een limbowedstrijd.

Voor de kostuums hoeven de kinderen alleen maar in hun eigen garderobe op zoek te gaan naar kleurige, uitbundig gebloemde kledingstukken. Die vullen ze aan met een grote zonnebril en een bloemenslinger. Het is leuk om iedere gast bij binnenkomst een bloemenslinger of goedkope zonnebril te geven (of stuur die met de uitnodiging mee, zodat je meteen de toon hebt gezet). Jongens kunnen een bermuda of surfshort dragen met een wijd bloesje of kleurig T-shirt. Meisjes dragen een hoelarokje uit de feestwinkel of zelfgemaakt van stroken crêpepapier.

Wil je kind graag een tropisch feestje maar is hij/zij midden in de winter jarig, dan kun je het thema makkelijk aanpassen. Zet de verwarming hoog en organiseer een Hawaï disco. Pluk wat kitscherige hoelamuziek van internet of vraag ernaar bij een grote muziekhandel. Hebben de kinderen elkaars kostuum genoeg bewonderd, trap het festijn dan af met een levendige limbowedstrijd. Dit vinden kinderen supergrappig. Eventueel kun je het tegen het einde van het feest nog een keer doen. Heb je genoeg ruimte om de kinderen in groepjes te verdelen, dan is een quiz een prima onderbreking voor deze leeftijdsgroep, ideaal om de gemoederen tot bedaren te brengen na de inspanningen van de limbo of voordat het eten geserveerd wordt!

Het leuke van verkleden is voor kinderen onder meer dat je de kleren van papa of mama aan mag en daar speelt dit feest perfect op in! Kinderen zijn dol op zo'n glamourthema en voelen zich heel groot in de bijbehorende kostuums met accessoires.

gangsters en liefjes

Ben je handig met de naaimachine, maak dan een paar outfits die je na het feest in de verkleedkist doet, zodat je kinderen er nog lange tijd plezier van hebben. Alle accessoires, zoals lange kralenkettingen, vilten deukhoeden, verenboa's en lange handschoenen, haal je voor weinig geld uit de feestwinkel of van de rommelmarkt. Dat geldt ook voor de pakken en de jurken. Zelf maken geeft echter meer voldoening en is vaak goedkoper.

Een charlestonjurk is heel makkelijk te maken als je uitgaat van een nylon onderjurk of nachtjapon met spaghettibandjes. Naai er lange zijden franjes op of stik er een paar wapperende stroken van een lichte, zijdeachtige stof op voor een laagjesrok. De hoofdbanden zijn heel simpel: koop een stel goedkope nylon stretchhaarbanden en naai daar stoffen bloemen of zwierige veren op voor een glamoureffect.

Ook voor een gangsteroutfit kun je uitgaan van kleding die je al hebt. Een afgedankte donkere broek wordt een mooie, zij het karikaturale krijtstreep als je een vaste hand, wat witte verf en een dun penseeltje hebt! Zoek in tweedehands winkels naar herenjasjes in een kleine maat en bewerk die op dezelfde manier. Bij gebrek aan een jasje kan een herenvest ook. Duikel een paar stropdassen en chique overhemden op. Pep een oude hoed op met een lint erom of maak slobkousen van wit papier.

Heb je genoeg ruimte, maak dan een bar waar je de kinderen 'cocktails' serveert. Laat ze eventueel zelf drankjes mixen. Het idee van een nachtclub spreekt kinderen van negen à tien sterk aan en sluit natuurlijk perfect aan bij de glamour van dit thema. Leg een mooi tafelkleed over een lange party- of behangtafel. Zet hierop een ijsemmer, een chique cocktailshaker en een verzameling glazen en

Kroegstijl Glamour is het sleutelwoord bij dit feest, dus zet een spiegel in een hoekje met wat felroze blusher en rode lippenstift voor de meisjes. Als je er ook een paar nepsnorren of zwarte en bruine schmink bij legt, doen de jongens ook mee!

andere cocktailbenodigdheden om de juiste sfeer te creëren. Iets wat kinderen ook prachtig zullen vinden is een buffetbar waar ze zelf ijscoupes kunnen maken met verschillende toppings.

Wil je het kroegidee nog verder uitwerken, kleed de kamer dan op een passende manier aan. Versier de muur achter de bar met een spectaculaire afbeelding van een skyline in jarendertigstijl, geknipt uit twee kleuren papier. Teken hiervoor de contouren van een skyline op dik zwart papier. Snijd de vorm uit met een hobbymes en plak hem met spuitlijm op een groot vel karton in een afstekende kleur. De

BLADZIJDE HIERNAAST, LINKS Deze glamour-hoofdband is gemaakt van een strook stof met een mooie broche en een zwierige veer.

BLADZIJDE HIERNAAST, RECHTS De plaatskaartjes in jarentwintigstijl zijn van

zwart papier beplakt met aluminiumfolie.

LINKSONDER Deze posters zijn geïnspireerd op kunst uit de jaren twintig.

RECHTSONDER Een stoere valse snor van vilt plak je vast met wimperlijm.

DEZE FOTO Een 'cocktail' in een echt martiniglas vinden kinderen prachtig, net als alle kitschattributen zoals parapluutjes en roerstokjes.

LINKSBOVEN Zet alle ingrediënten klaar en laat de kinderen zelf cocktails maken. Zorg voor een cocktailshaker en verschillende soorten hoge en lage glazen (bij voorkeur van plastic).

BLADZIJDE HIERNAAST Een tafel met disco-spikkels, jellybeans, minispekkies en ander lekkers om ijsjes mee te versieren wordt het hoogtepunt van het feest.

verlichte ramen in de wolkenkrabbers bestaan uit opgeplakte vierkantjes van de contrastkleur.

Kinderen vinden het leuk om decoraties te maken, zoals posters. De collages op de foto in rood, zwart en zilver zijn geïnspireerd op *Vogue*-covers uit de jaren twintig en dertig. Teken het ontwerp op zwart papier en trek het over op overtrekpapier. Knip aan de hand daarvan alle elementen uit vellen zwart, zilver of rood papier. Plak ze vervolgens op de oorspronkelijke tekening. Hang een aantal van deze posters in de gang ter verwelkoming van de gasten en gebruik de andere als versiering in de kamer die je hebt omgetoverd tot kroeg!

planning

Kinderen van negen à tien beleven aan de voorbereidingen net zo veel plezier als aan het feest zelf. Betrek ze bij het maken van uitnodigingen en decoraties en het plannen van de activiteiten.

WAAR GAAT HET GEBEUREN?

• Een themafeest met alles erop en eraan kun je het best thuis houden, want dan heb je ruim de tijd om alle decoraties aan te brengen.

• Wordt het een groot feest (bijvoorbeeld omdat dit het laatste jaar op de basisschool is), kies dan liever voor een zaaltje.

• Een alternatief is om je kind met een select groepje gasten mee te nemen naar de bioscoop of een restaurant. Chinees valt meestal goed in de smaak. Er zijn ook pizzeria's waar de kinderen hun eigen pizza kunnen klaarmaken.

HOE LAAT?

• Als het niet per se 's middags hoeft, doe je deze leeftijdsgroep een groot genoegen met een feest vroeg in de avond.

• Slaapfeestjes zijn populair bij kinderen van deze leeftijd. Meestal beginnen ze vrijdagmiddag meteen na school (zodat ze in het weekend kunnen bijkomen) of op een zaterdag. Laat de gasten dan bijvoorbeeld om 6 uur komen.

WAT ZETTEN WE DE GASTEN VOOR?

• Wat oudere kinderen zijn minder kieskeurig, dus culinair heb je meer mogelijkheden. Pizza's gaan er altijd in, gekocht of zelfgemaakt, net als hotdogs en hamburgers.

• Bij een groot feest of disco doet een buffet het altijd goed. Bovendien hoef je dan niet zo veel stoelen te regelen. Snacken vinden kinderen meestal ook leuker dan een echte maaltijd aan tafel.

PRIJSJES EN AFSCHEIDSCADEAUTJES

• Na een slaapfeestje hoef je de gasten eigenlijk niets mee naar huis te geven. Als je kind al eens bij iemand anders een slaapfeestje heeft gehad, weet je wat er gebruikelijk is.

• Voor meisjes kun je denken aan goedkope make-up, glitterhaarspeldjes, sieraden, parfummonstertjes of kleine tasjes. Warenhuizen, speelgoedwinkels en dergelijke bieden volop keuze.

• Jongens maak je blij met een spel kaarten, plastic boemerang, leuke sleutelhanger, *glow in the dark* stickers, minizaklantaarn of gadgets op zakformaat.

• Wil je liever iets blijvends, geef dan een boek, bijvoorbeeld het nieuwste deel uit een populaire serie. Voor deze leeftijd zijn er allerlei series en je kind weet wel wat momenteel in is.

• Bij zowel het tropische als het gangsterfeest kun je de gasten een mooi glas geven met een recept voor een 'cocktail' en een paar grappige cocktailaccessoires, of een ijscoupe met een pakje discospikkels en een gekke versiering.

• Bij een knutselfeest (zie bij 'Spelletjes en activiteiten') is de gemaakte creatie in principe voldoende als afscheidscadeautje, maar het is altijd leuk om de kinderen ook een stukje taart of een cakeje mee te geven.

SPELLETJES EN ACTIVITEITEN

• Voor georganiseerde spelletjes zijn de kinderen nu misschien te groot, maar ze stellen het wel op prijs als er enige structuur in het feest zit.

• Film kijken samen met vriendjes of vriendinnetjes is altijd leuk. Een lievelingsfilm of bioscoophit die net uit is op dvd is perfect voor een avond- of slaapfeest. Zet iedereen met popcorn en drinken voor de televisie en serveer voor of na de film een maaltijd.

• Knutselfeestjes zijn heel geschikt voor deze leeftijdsgroep. Als alles klaar ligt, kunnen ze het meeste zonder hulp af. Denk bijvoorbeeld aan een van de volgende activiteiten.

• Tie-and-dye – laat de kinderen een T-shirt meenemen of geef ze er een en zet bakken met verschillende kleuren verf klaar. Dit is leuk voor een slaapfeest, want dan kun je de T-shirts laten drogen en 's morgens mee naar huis geven.

• Fotolijstje versieren – koop goedkope, blankhouten fotolijstjes en geef de kinderen verf, glitter, lijm, knopen en andere frutsels om de lijstjes te versieren.

• T-shirt versieren – zorg net als bij tie-and-dye voor witte T-shirts of laat de kinderen zelf een T-shirt meenemen. Zorg voor allerlei applicaties (al dan niet opstrijkbaar), textielstiften, textielverf, knopen, lintjes, naalden en garens.

• Bekers of tegels beschilderen – porseleinverf is te koop bij hobbywinkels, net als geschikte effen bekers, borden en tegels. Na het beschilderen kun je ze in de oven bakken.

• Sieraden maken – vooral populair bij meisjes, die heerlijk kunnen kletsen terwijl ze kettingen, oorbellen en armbanden maken. Zorg voor draad en schaaltjes met mooie kralen.

BOVEN RECHTS Een rode clownsneus van foam vult deze vrolijke uitnodiging voor een circusfeest prachtig aan. Bovendien komt hij goed van pas op het feest.

Zelfgemaakte uitnodigingen zijn veel persoonlijker dan gekochte. Stem de stijl en het ontwerp af op het thema van het feest.

uitnodigingen

BLADZIJDE HIERNAAST EN LINKSBOVEN Eenvoudige uitklapkaarten zoals deze kip met haar kuikentjes of de circustent zijn leuk en makkelijk te maken.

BOVEN MIDDEN Origineel, deze collage van kleurige viltcirkels. De grappige button kunnen de gasten op de dag zelf dragen.

Kinderen krijgen zelden post, dus is het extra spannend als ze een uitnodiging voor een feestje in de brievenbus vinden of op het schoolplein overhandigd krijgen. Wanneer je de uitnodigingen op school uitdeelt, kunnen er pijnlijke situaties ontstaan. Dat voorkom je door ze per post te sturen. Ook hoef je dan niet de hele klas uit te nodigen (tenzij je dat echt wilt!).

In de winkel is er volop keus qua uitnodigingen, maar de meeste zijn tamelijk standaard. Zelfgemaakte zijn persoonlijker en kunnen de toon zetten voor het hele feest. Bij een verkleedfeest bijvoorbeeld kan de uitnodiging als inspiratie dienen. Voor een piratenfeest sluit je een ooglapje bij, voor een westernfeest een sheriffinsigne.

Voor elk thema zijn er talloze geschikte ontwerpen te verzinnen. Wat dacht je van een grappige clownskop voor een circusfeest of een zilveren raket voor een ruimtefeest? Wees niet te ambitieus, maar bedenk van tevoren hoeveel uitnodigingen er moeten komen en kies een ontwerp dat relatief snel en makkelijk uit te voeren is. Kijk vervolgens wat je nodig hebt en zorg dat alles in huis is. Niets zo frustrerend als halverwege tot de ontdekking komen dat de lijm of glitter op is.

Het makkelijkst zijn kaarten van een dubbelgevouwen stuk karton waar je een vorm uitknipt die bij het thema past. Versier de

Knippen en plakken

Een schaar kunnen (of mogen) peuters nog niet hanteren, maar plakken vinden ze geweldig. Ontwerp een uitnodiging die ze met jouw hulp in elkaar kunnen plakken en versieren.

LINKSBOVEN Uit de kaart blijkt het thema voor het feest.

RECHTSBOVEN Een mobile als uitnodiging: knip een grote cirkel uit stevig papier, teken er met potlood een spiraal op en knip die uit. Bevestig er een draad aan en schrijf de uitnodiging op de spiraal.

LINKS Een stoere piratenkop compleet met echt ooglapje doet het goed als uitnodiging voor een piratenfeest.

uitnodigingen met verf, glitter of papier. Vissenschubben maak je van rondjes aluminiumfolie, de vlammen uit de staart van een raket van stroken rood en oranje vloeipapier.

Makkelijk en toch leuk voor kleine kinderen zijn uitnodigingen in de vorm van een papieren slinger met bijvoorbeeld beren of eendjes. Vouw een strook papier op als een harmonica en teken de vorm op de bovenste laag (trek eventueel een koekjesvorm om). Knip de vorm door alle lagen uit, maar zorg ervoor dat de figuurtjes boven- en onderaan verbonden blijven. Dit ontwerp leent zich voor allerlei variaties, zoals een rij astronauten voor een ruimtefeest of vissen voor een onderwaterthema.

Uitklapkaarten zijn makkelijk te maken. Een moederkip met kuikentjes onder haar vleugel past prima bij een boerderijfeestje. Neem een vel stevig papier of dun karton, teken daar een eenvoudige kip op en knip die uit. Knip een

DEZE BLADZIJDE Een stijlvolle klassieke auto laat iets doorschemeren van de glamour die bij een gangsterfeest hoort. De vorm is gekopieerd uit een boek en uit zwart karton geknipt. De details als radiateur, wieldoppen en ramen zijn uit aluminiumfolie geknipt.

DEZE BLADZIJDE EN INZET BOVEN Voor deze papieren slingers is hetzelfde eendje gebruikt als voor de uitnodiging.

BLADZIJDE HIERNAAST, RECHTSBOVEN Als je deze pop-upkaart openvouwt, komt het elfje tevoorschijn. Haar vleugels zijn uit glitterpapier geknipt, het lijfje is een gevouwen driehoek van karton

versierd met metallic plaksterretjes.

BLADZIJDE HIERNAAST, LINKSONDER Een rijtje vrolijke beren past natuurlijk perfect bij een berenpicknick!

BLADZIJDE HIERNAAST, RECHTSONDER Dit ijsje, gemaakt van verschillend gekleurde papieren rondjes, ziet er heerlijk uit met het decoratieve randje echt taartstrooisel.

vleugelvorm en plak die bovenaan vast met plakband of lijm. Onder de vleugel teken je een stel kuikentjes. Schrijf hier ook de uitnodiging. Met dit ontwerp kun je alle kanten op. Voor een prinsessenfeest maak je bijvoorbeeld een kaart in de vorm van een kasteel met een ophaalbrug. Bij een circusfeest past een gestreepte circustent met in het midden een flap die open kan.

Ook voor grotere kinderen zijn er intrigerende ideeën te verzinnen. Voor een ridderfeest doop je een vel papier in sterke thee. Vouw het een paar keer dubbel, schrijf de uitnodiging met inkt, rol het papier op en verzegel het met een lint en zegelwas. Deze techniek kun je ook toepassen op een spannende schatkaart voor een piratenfeest.

Bij een feest dat om teamactiviteiten draait, zoals een sportfeest of een quiz, bevestig je een badge in de teamkleuren aan de uitnodiging. Zet erbij dat de kinderen de badge op het feest moeten dragen.

Waar je ook voor kiest, de gasten zullen zo'n originele uitnodiging zeker waarderen en bovendien is het maken van de kaarten voor je kind een leuke voorbereiding op het feest.

DEZE BLADZIJDE In deze mooie tasjes met lint zitten een plastic boerderijdier en een vrolijk verpakt kartonnen blokboekje. Een dergelijk presentje is bij uitstek geschikt om de gasten mee te geven bij een eerste of tweede verjaardag. Bij boekhandels met restpartijen zijn dit soort prentenboekjes vaak voor weinig geld te koop.

RECHTS Mooie broodtrommels zijn handig en lenen zich voor vrijwel elk thema. Met een paar zandvormpjes en een badspeeltje zijn ze perfect voor een zeemeerminnenfeest.

UITERST RECHTS Plastic opbergdoosjes zijn ideaal om afscheidscadeautjes in mee te geven.

RECHTSONDER Een knutselactiviteit zoals bloempotjes beschilderen en plantjes erin zetten levert meteen een afscheidscadeautje op. Zet de naam erop en deel ze uit als de kinderen weggaan.

Een afscheidscadeautje is een aardige manier om de gasten van je kind te bedanken voor hun komst. Het is leuk om ze samen te stellen en je bepaalt zelf hoe duur je het maakt.

afscheidscadeautjes

Ook al vind je het overdreven, een afscheidscadeautje hoort erbij. Voor veel ouders brengt het cadeautje voor thuis meer twijfels en stress mee dan het partijtje zelf. Op de een of andere manier lijkt het succes van een kinderfeestje af te hangen van de inhoud van een plastic tasje. En daar komt natuurlijk het competitiegedrag van ouders om de hoek kijken: kinderen schijnen geregeld naar huis te gaan met poppenserviesjes, dvd's en de nieuwste computerspelletjes. Dat is belachelijk en helemaal niet nodig.

Vergeet die plastic zakjes met stripfiguren erop. Bruine papieren zakken zijn veel leuker. Opvullen met proppen vloeipapier geeft de inhoud een bijzondere allure. De zakken zelf kun je versieren met aardappelstempels of pailletten waarmee je de naam van de gast vormt.

Een andere mogelijkheid is een verpakking die op zich al een cadeautje is, zoals geborduurde of kralentasjes. Die koop je bijvoorbeeld bij modeketens. Met een paar kleinigheden als chocolademunten of wat goedkope make-up erin zijn kleine meisjes blij verrast. Voor jongens neem je zwemtassen met koordsluiting, aangevuld met knikkers, papieren vliegtuigjes of wat je zoon op dat moment interesseert.

LINKS Een cocktailglas met opgerolde kleurige bloemenslinger, zonnebril en parasolletje of roerstokje ziet er fantastisch uit als je het verpakt in cellofaan met een mooi lint erom.

LINKSONDER Sportbekers gevuld met viltstiften zijn geschikt om mee te geven na een sportfeestje.

DEZE FOTO Potjes met zelfgemaakte speelklei zien er aantrekkelijk uit en zijn ideaal om mee te geven aan kinderen onder de drie. Doe er een mooi uitsteekvormpje bij.

Houd je ogen het hele jaar open voor dingen die geschikt zijn als afscheidscadeautje en koop ze meteen. Blijkt in de week voor het feest dat er op het laatste moment nog van alles geregeld moet worden (zoals bij iedereen gebeurt), dan heb je tenminste een basis. Heb je dochters, bewaar dan monsterflesjes van parfum en dergelijke om in een tasje te doen als afscheidscadeautje. Ga op zoek naar grootverpakkingen van speelgoed en accessoires, zoals zakken met plastic dierfiguurtjes, autootjes, haarspeldjes en grappige sokken, die je over de tasjes kunt verdelen. Kinderen zijn dol op stickers; met een familiezak vol kun je aardig wat tasjes vullen.

Houd de cadeautjes voor peuters heel simpel. Een opgeblazen ballon is ideaal. Heliumballonnen zijn altijd een succes en verkrijgbaar in allerlei uitvoeringen. Knoop ze aan een stuk taart verpakt in een servetje en zet ze bij de deur. Dat ziet er zo aanlokkelijk uit dat de kinderen niet blijven dralen als het tijd is om naar huis te gaan.

Zelfgemaakte speelklei (zie blz. 24 voor recept) is een van de leukste afscheidscadeautjes voor kinderen onder de vijf. Bewaar de weken voor het feest kleine jampotjes of potjes van babyvoeding, week het label eraf en plak er een etiket op met het recept voor speelklei. Felle kleuren zoals groen, roze, rood en dieppaars zien er spectaculair uit.

Heb je je uitgesloofd op de decoraties voor het feest, geef de gasten er dan elk een of twee mee naar huis, samen met een stuk taart. Uitgeknipte beren of papieren reuzenbloemen doen het goed in hun slaapkamertje. Ridders en jonkvrouwen maak je blij met banieren en schilden. Ook zelfgemaakte accessoires bij de kostuums, zoals konijnenoren of piratenooglapjes, of dingen die de kinderen zelf

BOVEN Vertrekkende astronauten maak je blij met een straalgeweer, zeker als er water uitkomt. Doe er een chocoladelolly en een vingertopmonster bij. Verpakt in mooie doosjes worden de spulletjes nog meer op prijs gesteld.

ONDER Zoek in de winkel naar cadeautjes die aansluiten bij het thema van je feestje. Bij kantoorboekhandels of feestwinkels vind je vaak allerlei handige kleinigheden, zoals deze grappige potloodfiguurtjes.

Mooie verpakking Maak je niet druk om hoeveelheden of kosten, maar richt je op de presentatie van wat je de gasten meegeeft. Hoe eenvoudig de inhoud ook is, een mooie verpakking spreekt de kinderen aan.

LINKSBOVEN Een mooi tasje met een bloemen-broche is een cadeautje op zich en hoeft niet ingepakt te worden. Heb je dochters, sla dan een voorraad tasjes in tijdens de uitverkoop. Koop ook lieve haaraccessoires in het groot in, want die komen altijd van pas als prijsjes en afscheids-cadeautjes.

RECHTSBOVEN Tegenwoordig zijn er allerlei tuinspullen voor kinderen te koop. Een gietertje met schepje valt beslist in goede aarde.

versierd hebben tijdens het feest kun je mee naar huis geven.

Tot een jaar of acht geven de kinderen meestal de voorkeur aan apart verpakte cadeautjes boven een tasje vol spullen. In de ramsj vind je vaak voordelige lees- en kleurboeken. Een grabbelton bij de voordeur is leuk voor alle leeftijden en maakt het afscheid voor de allerjongsten makkelijker, omdat ze bij het weggaan nog iets krijgen.

Heb je een hekel aan het zomaar meegeven van afscheidscadeautjes, zet de kinderen dan aan het werk! Tegen het einde van het feest geef je kinderen vanaf een jaar of vier tasjes in verschillende kleuren. Laat ze pakjes zoeken in de kleur van hun tasje. Op

een piratenfeest laat je de gasten chocolademunten zoeken. Hebben de kinderen bloempotjes versierd, T-shirts geverfd of tegels beschilderd, dan is dat meteen een mooi cadeautje.

Themapresentjes doen het goed bij alle leeftijdsgroepen. Geef cowboys bijvoorbeeld een minicactus in een geëmailleerde beker en astronauten *glow in the dark* sterren. Versierde peperkoeken zijn altijd aardig. Glazuur ze als prinsessen, beren, boerderijdieren, clowns enzovoort.

Voor het verzamelen van afscheidscadeautjes geldt hetzelfde als voor alle andere aspecten van het kinderfeestje: gebruik je fantasie, dan blijkt meestal dat het eigenlijk best leuk is om te doen.

DEZE BLADZIJDE Een stapel glanzend blauwe doosjes met strik ziet er zo aanlokkelijk uit dat zelfs het meest onwillige kind zonder problemen vertrekt. In de doosjes zitten een paar vlinderhaarspeldjes en een flesje badschuim, mooi verpakt in roze vloeipapier.

BLADZIJDE HIERNAAST, LINKSBOVEN Heb je een kinderkapstok bij de voordeur, hang daar dan de afscheidscadeautjes aan. Is het tijd om naar huis te gaan, dan hebben de kinderen de hint snel door!

BLADZIJDE HIERNAAST, ONDER Knutsel-activiteiten houden de kinderen bezig en ze hebben meteen een herinnering aan het feest. Koop blankhouten foto-lijstjes en laat de kinderen die versieren. Neem indien mogelijk een foto van ieder kind tijdens het feest en doe die in het lijstje wanneer ze naar huis gaan.

DEZE BLADZIJDE EN BLADZIJDE HIERNAAST, RECHTSBOVEN In een prachtige verpakking zien goedkope cadeautjes er luxe uit. Deze plastic diademen en verenboa's kosten een habbekrats, maar in zo'n fraaie doos lijken ze heel wat. Perfect voor na een elfenfeestje!

LINKS Een blad met allerlei huis-, tuin- en keukenvoorwerpjes is alles wat je nodig hebt voor een rustig geheugenspelletje (zie blz. 105).

LINKSONDER Een hoed, sjaal, mes, vork en grote reep chocola liggen klaar voor een superspannend Chocoladespel (zie blz. 104).

RECHTS Op hun tenen lopen deze kinderen op het doel af bij Achter oma aan (blz. 106).

BLADZIJDE HIERNAAST Een grabbelton is een leuke manier om de prijsjes uit te delen. Na elk spel mag de winnaar een greep doen in een doos of emmer vol papiersnippers. Let er bij een gemengd feest op dat de prijsjes geschikt zijn voor zowel jongens als meisjes.

Het is begrijpelijk dat je ertegen opziet om een groep opgewonden kinderen bezig te houden. Moeilijk zijn de spelletjes echter niet en de kinderen vinden het prachtig, dus ze zullen graag meewerken.

spelletjes

Organiseren is het sleutelwoord als het om spelletjes gaat. Vraag je kind welke spelletjes hij of zij graag doet en wat hij of zij op andere feestjes leuk vond om te doen. Maak een lijstje van de spelletjes die je hebt gekozen. Bij een feestje van twee uur is er tijd voor vier à vijf spelletjes, maar het is verstandig om er nog een paar achter de hand te houden voor het geval er eentje niet aanslaat. Leg vervolgens alle benodigdheden en prijsjes bij elkaar. Houd je lijstje op de dag zelf binnen handbereik, zodat je te midden van alle rumoer even kunt nakijken wat de kinderen ook alweer moesten doen om al die prijsjes te winnen die je hebt ingeslagen.

Leg de lat niet te hoog wat de prijsjes betreft. Houd het bescheiden en laat de kinderen onder geen voorwaarde kiezen. Een mogelijkheid is om na het spelletje alle spelers één sticker of snoepje (dus geen heel zakje) te geven, of steeds de afvallers iets te geven. Daarnaast krijgt de winnaar een klein prijsje. Dit is een makkelijke en doeltreffende manier om iedereen tevreden te stellen. Of ga voor de traditionele aanpak en geef alleen de winnaar iets. Doe gewoon wat jou goeddunkt.

Slapende Leeuwen Dit spel is perfect om wat rust in de tent te krijgen. Het leent zich vooral voor kinderen vanaf vier. Driejarigen vinden het ook leuk, maar dan moet je wel wat door de vingers zien, anders is het snel afgelopen.

Je hebt zo veel ruimte nodig dat alle kinderen languit kunnen liggen.

Vertel de kinderen dat ze allemaal leeuwen zijn die heel veel slaap hebben. Ze moeten zo stil mogelijk blijven liggen. Als ze maar een snorhaartje bewegen, worden ze wakker en moeten ze jou helpen de andere leeuwen te bewaken. Liggen ze allemaal, wacht dan even tot ze stil zijn. Loop vervolgens rond en probeer ze aan het lachen te maken. Ieder kind dat af is, mag jou helpen de anderen aan het lachen te maken. Aanraken of kietelen mag niet. Het kind dat het langst blijft 'slapen' wint.

BOVEN Geblinddoekt wachten tot je de ezelstaart mag opprikken.

ONDER Bij een elfen-feest doe je Stoelendans met zelfgemaakte paddenstoelenkussens.

Klassieke kinderspelletjes

Stoelen-, Bons- en Standbeeldendans Met deze simpele afvalspelletjes raken de kinderen hun energie lekker kwijt. Voor alle drie heb je muziek nodig.

Stoelendans Zet zo veel stoelen neer als er kinderen zijn. Zet de muziek aan en laat de kinderen rond de stoelen dansen of marcheren. Zodra de muziek stopt, moeten ze gaan zitten. Wanneer alle kinderen zitten, haal je één stoel weg. Het kind dat bij de volgende ronde geen stoel heeft, is af. Zo ga je door tot er twee kinderen en één stoel over zijn. Het kind dat het eerst op de stoel belandt, wint. Heb je weinig ruimte, leg dan kussens of stukken papier op de grond.

Bonsdans Laat de kinderen dansen tot de muziek stopt. Dan moeten ze zo snel mogelijk op de grond gaan zitten, met een bons. Het kind dat als laatste zit, is af. Het spel gaat door tot er nog één kind over is; hij of zij wint.

Standbeeldendans Ook hier dansen de kinderen in het rond. Als de muziek stopt, moeten ze zo stil mogelijk blijven staan tot de muziek weer begint. Voor kleine kinderen is stilstaan best moeilijk, dus wees niet te streng en wijs vrij snel iemand aan die afvalt.

Pakje Doorgeven Dit spel kun je doen vanaf een jaar of drie, hoewel driejarigen het pakje vaak niet meer willen afgeven zodra ze het in hun kleverige knuistjes hebben.

Verpak een klein prijsje in zo veel lagen papier als er spelers zijn en zorg voor muziek.

Zet de kinderen in een kring en geef het pakje aan een van de spelers. Zodra de muziek begint, geven de kinderen het pakje door. Als de muziek stopt, mag het kind dat het pakje in zijn handen heeft er één laag papier af halen. Ga zo door tot de laatste laag. Het kind dat die eraf haalt, wint de prijs.

Variatie: bij de traditionele versie is er slechts één prijs, maar tegenwoordig worden ook vaak meerdere prijsjes tussen de lagen gedaan of bij elke laag een kleinigheid.

Pakje Doorgeven met opdrachtjes Grotere kinderen vinden gewoon Pakje Doorgeven vaak kinderachtig. In deze versie zit er bij elke laag een opdracht of vraag die je op een stuk papier schrijft. De vragen kunnen over boeken of films gaan, de opdrachtjes zijn iets als een liedje zingen of een gek gezicht trekken. Kunnen de kinderen nog niet lezen, neem dan plaatjes van dieren en vraag wat voor geluid die maken.

Ezeltje Prik Dit is een rustig spel voor kinderen vanaf een jaar of vier. Jongere kinderen vinden een blinddoek vaak eng.

Benodigdheden: een afbeelding van een ezel of ander dier zonder staart en zo veel staarten als er kinderen zijn (of één staart en een viltstift om te noteren wie de staart waar geprikt heeft), een blinddoek en plakband of punaises om de staart te bevestigen.

Hang de afbeelding van de ezel op kinderhoogte aan de muur en geef aan waar de staart moet komen. Het kind wiens staart er het dichtst bij zit, wint. Blinddoek de kinderen om de beurt, geef ze een staart met hun naam erop en leid ze naar de ezel toe.

Om te voorkomen dat de kinderen zich gaan vervelen als ze in de rij staan laat je ze op de grond zitten en kijken hoe de anderen het doen.

Variaties: bij de feestwinkel zijn spelpakketten te koop, maar je kunt ook zelf iets maken rond het thema van je feest, bijvoorbeeld Marsmannetje Prik (met een oogbal in plaats van een staart) voor een ruimtefeest of Strijdros Prik voor een ridderfeest.

UITERST LINKS EN INZET RECHTS Kinderen zijn dol op knoeispelletjes en het Meelspel vinden ze prachtig. De kunst is om net zo veel meel weg te halen dat de berg bij de volgende speler instort.

LINKS Het Donutspel kun je het best na het eten doen, anders blijf je zitten met alles wat je zo ijverig hebt klaargemaakt!

RECHTS Aan een teamquiz kan iedereen meedoen.

pret met eten

Donuthappen Knoop donuts aan een touwtje en hang ze aan een waslijn. De kinderen moeten proberen de hele donut op te eten zonder hun lippen af te likken. Als ze hun lippen aflikken, haal je de donut weg.

Chocoladespel Dit spel vinden kinderen heel grappig en daarom is het altijd een succes. Ook voor de toekijkende volwassenen is het vermakelijk.

Zet de kinderen in een kring rond een bord met een uitgepakte reep chocola, mes, vork, hoed, zonnebril, handschoenen, sjaal en dobbelsteen. De spelers gooien de dobbelsteen tot iemand zes gooit. Diegene moet zich dan snel uitdossen met hoed, zonnebril, handschoenen en sjaal en proberen de chocola op te eten met mes en vork. De andere spelers gooien weer om de beurt met de dobbelsteen. Zodra iemand zes gooit, trekt de

chocolade-eter alles uit en mag de volgende het proberen. Het is wel zo eerlijk als de kinderen wachten met gooien tot de volgende alles heeft aangetrokken.

Variatie: bij kleinere kinderen zijn een hoed en een paar wanten genoeg. Leg losse chocolaatjes op het bord en speel verder als ze één chocolaatje op hebben.

Meelspel Bij kinderen vanaf vijf is dit heel populair. Doe het bij voorkeur op tafel. Maak op een dienblad een bergje van stevig aangedrukt meel met daarbovenop een stuk chocola. Om de beurt snijden de kinderen met een mes iets van de wanden af, zonder dat de chocola valt. Het kind bij wie de berg instort, moet de chocola met zijn tanden uit het meel vissen. Het wordt een knoeiboel, maar vaak willen de kinderen dit meerdere keren doen!

geheugenspelletjes en teamquizzen

Teamquiz Verdeel de kinderen in even grote teams (leeftijden gelijk verdeeld als er meerdere leeftijdsgroepen zijn). Stel eenvoudige vragen over bekende boeken, films en wat ze op school krijgen. Laat de teams hun antwoorden opschrijven of geef ze een bel of iets anders wat geluid maakt.

Twintig vragen of Ja/Nee Ieder kind krijgt een kaartje met de naam van een dier, persoon of voorwerp. De andere spelers moeten raden wie of wat het is aan de hand van maximaal twintig vragen (zoals 'is het een dier?', 'is het een groente?' 'is het groot?') die alleen met 'ja' of 'nee' beantwoord mogen worden.

Kims Geheugenspel Leg op een dienblad allerlei kleine voorwerpjes, zoals een lepel, een kopje, een borstel, een vingerhoed en een touwtje (in totaal zo'n tien dingen). Leg er een theedoek overheen en zet het blad voor de kinderen. Vertel ze dat ze een paar minuten naar de voorwerpen mogen kijken, dan gaat de theedoek er weer over. Nu moeten de kinderen opschrijven wat ze hebben onthouden.

Een alternatief is het blad weghalen, één ding eraf halen, het blad weer neerzetten en de kinderen vragen wat er ontbreekt. Als kinderen dit eenmaal doorkrijgen, vinden ze het heel leuk en willen ze het steeds weer doen. Na een paar rondes kun je er iets bijleggen in plaats van afhalen en dat laten aanwijzen of een van de voorwerpen verwisselen voor iets anders.

buitenspelletjes

Hoe laat is het, meneer de wolf? Eén kind is de wolf en staat aan de ene kant van de tuin met zijn rug naar de rest. De anderen staan op een rij aan de andere kant van de tuin. Als iedereen klaar is, roepen ze: 'Hoe laat is het, meneer de wolf?' De wolf geeft antwoord, variërend van 1 tot 12 uur. De kinderen doen een stap vooruit en vragen weer hoe laat het is. Zo gaat het spel door tot de wolf 'Etenstijd!' roept, zich omdraait en achter de kinderen aan rent. De eerste die hij vangt, is dan de wolf.
Variatie: de kinderen zetten zo veel stappen als de tijd die de wolf noemt; voor 3 uur zetten ze drie stappen, voor 9 uur negen enzovoort.

Touwtrekken Trek twee lijnen op de grond, ongeveer een meter van elkaar. Zet midden tussen de lijnen een streep. Knoop een zakdoek of lint om het midden van een stuk touw. Zet de twee teams bij de uiteinden van het touw, op gelijke afstand van de zakdoek. De zakdoek moet precies boven de

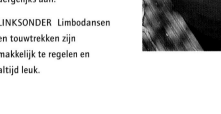

middenstreep hangen. Het team dat erin slaagt de zakdoek over hun lijn te trekken wint. Een variatie is alle gasten tegen de vader van de jarige!

Limbodansen Twee mensen houden een bamboestok horizontaal tussen hen in. De kinderen vormen een rij en limbodansen om de beurt onder de stok door. Begin met de stok op schouderhoogte. De kinderen moeten er achterovergeleund onderdoor dansen zonder de stok te raken. De winnaar is degene die het laagste niveau haalt.

Achter oma aan Dit lijkt op Hoe laat is het, meneer de wolf?, alleen sluipen de kinderen nu naar de oma die zich opeens omdraait. Op dat moment blijven alle spelers stokstijf staan. Als iemand beweegt, moet iedereen terug naar de beginstreep. De eerste die bij oma aankomt, neemt haar plaats in. Dan begint het spel opnieuw.

Appelhappen Dit spel kun je ook binnen doen, maar de vloer wordt wel nat! Doe een paar appels in een grote emmer vol water. Om de beurt moeten de kinderen met hun tanden proberen er een drijvende appel uit te vissen, met hun handen op hun rug.

loopwedstrijdjes

Eierlopen De kinderen lopen zo snel mogelijk met een ei op een lepel. Valt het ei, dan moeten ze opnieuw beginnen. (Met aardappels kan dit ook.)

Zaklopen De kinderen staan in een zak die ze bij hun middel vasthouden en leggen al springend een parcours af.

Rennen op drie benen De kinderen lopen twee aan twee; bij de enkel is hun ene been aan het been van hun buurman gebonden. Hun armen slaan ze om elkaar.

Kruiwagenrace Eén kind bukt voorover met zijn handen op de grond, de ander pakt zijn voeten op zodat het kind op zijn handen kan lopen.

Ballonnenrace Twee teams staan in een rij. De spelers klemmen een ballon tussen hun knieën en geven die zo door.

LINKS Neem voor zaklopen vuilniszakken of naai zelf zakken van oude lakens of goedkope lappen stof.

ONDER Eierlopen is zonde van echte eieren. Het kan ook met aardappels, uien, kiezelstenen of speelgoed-eieren.

Eten

Feestjes zijn bedoeld om plezier te maken en te genieten. Op zijn verjaardag kun je kleine Jan en zijn vriendjes geen zoete en hartige traktaties onthouden, want dat zou wel heel sneu zijn. Til voor deze gelegenheid even niet zo zwaar aan wat je kind wel en niet mag eten, maar concentreer je op het bereiden van hapjes die leuk, lekker en vooral feestelijk zijn. Dat wil niet zeggen dat je al je normen overboord moet zetten; houd gewoon voor ogen dat dit een feestje is en geen doordeweekse maaltijd. Het mag dus best een beetje bijzonder zijn. Alle recepten in dit hoofdstuk zijn snel, makkelijk en lekker. Stel hiermee zelf een fantastisch, verantwoord feestmaal samen waar ieder kind met smaak van zal eten.

hartige hapjes

groentedips

Hummus en guacamole met soepstengels en reepjes groente zijn heerlijk voor peuters. Ook voor grotere kinderen, maar zet ook chips en pitabroodjes neer voor de kinderen die hun neus ophalen voor rauwe groente, hoe zoet en sappig ook.

rauwe groente

wortels in reepjes

komkommer in reepjes

rode paprika in reepjes

selderijstengels in reepjes

kerstomaatjes

geblancheerde sugar snaps of asperges (2 minuten in kokend water laten staan, dan afspoelen onder de koude kraan)

radijsjes

om mee te dippen

soepstengels, groot of klein

tortillachips ('cool' of blauwe maïsversie)

groentechips van biet, wortels of pastinaak

minivolkorenkoekjes of -rijstwafels

geroosterde pitabroodjes in repen

bagelchips
Snijd twee bagels horizontaal in vier dunne schijven. Bestrijk met een beetje olijfolie en bak ze 10 minuten op 180 °C (gasstand 3). Breek ze in stukken.

tortillastukjes
Snijd 1 grote bloemtortilla in 8 stukken. Leg op een bakplaat en bak 10 minuten bij 180 °C (gasstand 3).

zoete aardappelschijfjes
Schil 1 kilo zoete aardappels en snijd ze in schijfjes. Leg ze in een braadslee, roer er 1 eetlepel olijfolie door en strooi er 1 theelepel paprikapoeder over. Bak 35-40 minuten bij 200 °C (gasstand 4). Schep een paar keer om. Lekker met de frisse roomdip hieronder.

frisse roomdip

150 ml crème fraîche

2 lente-uitjes, fijngehakt

1 eetlepel citroensap

VOOR 8 PORTIES

Schep alle ingrediënten voorzichtig door elkaar. Niet te veel roeren, want de dip wordt snel te dun. Dit kun je een dag van tevoren maken en in de koelkast zetten.

kinderguacamole

2 rijpe avocado's,
gehalveerd en in blokjes

2 eetlepels mayonaise

1 theelepel fijngehakte
korianderblaadjes

2 eetlepels crème fraîche

VOOR 8 PORTIES

Meng de avocado, mayonaise en koriander in een
foodprocessor tot een gladde massa. Doe over in een
mooie schaal en roer de crème fraîche erdoor. Druk de
avocadopitten in het mengsel tegen het verkleuren. In
de koelkast blijft dit één dag goed.

hummus

blik biologische kikker-
erwten van 400 g, uitgelekt

sap van 1 citroen

75 ml lichte tahin

2 eetlepels lichte olijfolie
plus wat om te
besprenkelen

1 teentje knoflook, gepeld
en uitgeperst

2 eetlepels kokend water

1 theelepel zeezout

VOOR 8 PORTIES

Maal de kikkererwten in een blender met het citroensap tot
een gladde puree. Doe de tahin, olijfolie en knoflook erbij.
Meng alles tot een gladde massa. Schraap alles van de
zijkanten en voeg het kokende water toe. Het moet een vrij
losse, lichte massa worden. Proef en doe er indien nodig wat
kruiderij bij. Doe de hummus in kommetjes en sprenkel er wat
olijfolie over. Blijft in de koelkast een paar dagen goed.

tomatensalsa

300 g heel rijpe tomaten

1 lente-uitje, fijngehakt

1 teentje knoflook, gepeld
en uitgeperst (eventueel)

1 eetlepel extra virgine
olijfolie

1 eetlepel fijngehakt vers
basilicum

1 eetlepel tomatenketchup

beetje gemalen zwarte
peper naar smaak

VOOR 8 PORTIES

Snijd de tomaten in vieren. Haal harde stukjes en zaadjes
eruit. Hak de tomaten fijn en doe ze in een kom. Roer de
rest van de ingrediënten erdoor. Bewaar op
kamertemperatuur tot serveren. Blijft in de koelkast drie
dagen goed.

figuursandwiches

Met een koekjesuitsteker maak je iets bijzonders van een simpele sandwich. Maak de sandwiches niet eerder dan 2 à 3 uur van tevoren klaar, want anders worden ze klef.

ALLE RECEPTEN ZIJN BEDOELD VOOR 6-8 KINDEREN

Eiersalade en waterkers
Pel 4 hardgekookte eieren en prak ze fijn in een kom. Roer er 4 theelepels mayonaise door. Verdeel het mengsel over 4 boterhammen, bedek met waterkers en leg er een tweede boterham op. Dit is ook een goede vulling voor pitabroodjes (zie onder).

Pindakaas met banaan
Bestrijk 8 boterhammen met pindakaas. Snijd 2 grote bananen in plakjes, verdeel ze over 4 boterhammen en dek af met de andere 4.

pitabroodjes

Besprenkel de pitabroodjes met een beetje water en rooster ze een minuut. Snijd ze doormidden en vul ze met een van de recepten hieronder.

ALLE RECEPTEN ZIJN VOLDOENDE VOOR 6-8 HALVE PITABROODJES.

Tonijn-wortelsalade
Laat een blikje tonijn van 185 gram uitlekken en meng de inhoud in een kommetje met 2 grof geraspte wortels, 2 eetlepels gehakte platte peterselie en 2 eetlepels mayonaise.

Kaas, bacon en tomaat
Meng 50 gram grof geraspte cheddarkaas met 2 eetlepels crème fraîche, 2 fijngehakte tomaten en 4 plakjes knapperig bacon, fijngehakt.

Kip-avocadosalade
Meng 125 gram fijngehakte kipfilet met 1 rijpe avocado, 2 eetlepels crème fraîche, 1 eetlepel citroensap, 1 eetlepel mayonaise en 50 g fijngesneden Romeinse sla.

kaasstengels

Deze smaken heerlijk met de dips op blz. 112-113. Voor grotere kinderen maak je lange stengels, voor peuters een handzamer formaat. Ook volwassenen vinden ze lekker, dus het loont om een dubbele hoeveelheid te maken.

125 g volkorenmeel, plus extra om te bestuiven

55 g boter, plus extra voor het invetten

85 g Parmezaanse kaas, geraspt

1 eidooier

2-3 eetlepels water

VOOR 20 KLEINE OF 10 GROTE STENGELS

Verwarm de oven voor op 200 °C, gasstand 4. Vet een bakplaat licht in.

Meng het meel met de boter en het water in een foodprocessor tot een kruimelige massa. Doe hier tweederde van de kaas en de eidooier bij. Mix in etappes tot de massa als een bal loslaat. Druk de bal een beetje plat, wikkel hem in plastic en zet hem 30 minuten in de koelkast.

Bestuif het aanrecht met bloem en rol het deeg uit tot een dikte van circa 1 centimeter. Snijd het in lange of korte repen. Leg ze op de bakplaat en strooi de rest van de kaas erover. Bak 10 minuten of tot ze goudbruin zijn. Laat afkoelen op een rooster.

barbecues en picknicks

smulburgers

Met deze hamburgers kunnen de kinderen mooi helpen. Laat ze het gehakt platdrukken en er een stukje kaas in stoppen. Je kunt de hamburgers van tevoren maken en invriezen. Denk er wel aan dat je ze op tijd ontdooit.

500 g gehakt

2 theelepels tomatensaus

1 eetlepel teriyakisaus

4 lente-uitjes, fijngehakt

1 ei, losgeklopt

125 g cheddarkaas, in 8 stukjes

bloem om te bestuiven

plantaardige olie om te bestrijken

8 afbakbroodjes

tomatensalsa voor erbij (zie blz. 113)

8 blaadjes Romeinse sla

VOOR 8 BURGERS

Meng het gehakt in een grote kom met de sauzen, de lente-ui en het ei. Vorm er met vochtige handen 8 balletjes van en druk die plat.

Stop in het midden van elke schijf een stukje kaas. Vouw het vlees om de kaas en vorm er hamburgers van. Leg ze op een met bloem bestoven bord en zet een halfuur in de koelkast.

Bestrijk de burgers met olie en gril ze in een gietijzeren grillpan of onder de ovengrill aan beide kanten 5-8 minuten.

Bak intussen de broodjes volgens de aanwijzingen op de verpakking. Snijd ze doormidden en beleg de onderste helft met de gegrilde burgers, salsa en een blaadje sla.

Ga je barbecueën, leg de burgers dan op een licht ingevet barbecuerooster boven middelhoog vuur, anders verbrandt de buitenkant voordat de binnenkant gaar is. Rooster ze 5-8 minuten aan elke kant.

gemarineerde kippenpootjes

De marinade uit dit recept leent zich ook goed voor karbonaadjes en spareribs.

4 eetlepels tomatensaus

4 eetlepels worcestersaus

4 eetlepels donkerbruine suiker

2 eetlepels Amerikaanse of Franse mosterd

8 kippenpootjes of 16 kippenvleugels

125 ml water

VOOR 8 PORTIES

Roer in een kom een marinade van de sauzen, suiker en mosterd.

Doe de kippenpootjes of -vleugels in een luchtdichte plastic zak en giet de helft van de marinade erbij. Schud de zak, knoop hem goed dicht en leg hem minstens 3 uur in de koelkast.

Doe de rest van de marinade in een pan, doe het water erbij en zet weg.

Verwarm de oven voor op 220 °C (gasstand 5). Haal de kip uit de zak en leg de stukken in een ovenschaal. Bak ze 35-40 minuten onder af en toe keren.

Laat de marinade in de pan 5 minuten koken en giet hem in een kommetje. Haal de kip uit de oven en laat hem iets afkoelen. Serveer met de warme dipsaus.

Ga je barbecueën, schraap de overtollige marinade dan van de kippenpootjes en barbecue ze 40 minuten vlak boven het vuur. Keer ze af en toe om.

maïskolven

Met deze zoete saus is de maïs nog lekkerder dan met boter.

2 grote maïskolven

25 g boter

4 eetlepels zachte bruine suiker

2 eetlepels water

VOOR 8 PORTIES

Snijd de maïskolven in stukken van 3-4 centimeter. Kook ze 10-15 minuten in kokend water tot ze zacht zijn.

Smelt de boter met de suiker in het water in een grote braadpan boven laag vuur. Doe de gekookte maïskolven erbij en laat ze circa 5 minuten zachtjes stoven. Keer ze regelmatig, anders verbrandt de suiker. Laat een beetje afkoelen voordat je ze serveert, want het karamellaagje wordt heel heet.

Voor een barbecue leg je elk stuk maïskolf op een vel extra dikke folie. Bestrijk ze met het gesmoltenbotermengsel en sprenkel er een beetje water over. Vouw de folie dicht tot een pakketje. Leg ze 10 minuten op de barbecue en keer ze af en toe.

knapperige aardappeltjes

Deze geroosterde aardappeltjes worden aan de buitenkant lekker knapperig, wat kinderen heerlijk vinden.

700 g nieuwe aardappels, schoongeboend

4 eetlepels olijfolie

beetje gemalen zwarte peper naar smaak

takjes rozemarijn (eventueel)

2 eetlepels fijn geraspte Parmezaanse kaas

satéstokjes

VOOR 8 PORTIES

Verwarm de oven voor tot 200 °C (gasstand 4).

Schud de aardappels in een braadslede om met de olie, peper en rozemarijn. Rooster ze 30-35 minuten in de oven; schep ze af en toe om. Bestrooi vlak voor het serveren met de geraspte kaas.

Voor een barbecue kook je de aardappels 10-12 minuten in een pan kokend water tot ze zacht zijn. Laat uitlekken en doe terug in de pan met de olie, peper en rozemarijn. Rijg de aardappels aan satéstokjes die je een halfuur in koud water hebt geweekt. Leg ze op de barbecue en rooster ze op middelhoog vuur onder regelmatig keren 7-8 minuten tot ze goudbruin zijn. Bestrooi vlak voor het serveren met de geraspte kaas.

koolsla met fruit

Raspen gaat wel zo snel in een foodprocessor met grove raspfunctie.

350 g witte of rodekool, grof geraspt

1 grote wortel, grof geraspt

2-3 selderijstengels in dunne plakjes

1 rode handappel in blokjes

1 rijpe mango, geschild en in blokjes

150 ml mayonaise

zout en beetje zwarte peper naar smaak

VOOR 8 PORTIES

Meng de geraspte kool en wortel in een grote kom met de selderij, appel en mango. Voeg mayonaise toe en breng op smaak. Roer alles goed door elkaar. Dek af en laat 2-3 uur staan alvorens te serveren. In de koelkast blijft de koolsla een paar dagen goed.

aardappel-muntsalade

Zijn de gasten erg kieskeurig, laat de muntblaadjes dan maar liever weg om gezeur te voorkomen!

500 g vastkokende of nieuwe aardappels, geschild en in kwarten

2 takjes munt

100 g diepvriesdoperwtjes

halve citroen, uitgeperst

4 eetlepels extra virgine olijfolie

beetje gemalen zwarte peper naar smaak

VOOR 8 PORTIES

Doe de aardappels in een pan met zo veel kokend water dat ze net onderstaan. Voeg de munt toe en laat 10 minuten sudderen. Doe de doperwtjes erbij en laat nog 5 minuten koken tot de aardappels zacht zijn. Laat uitlekken en gooi de muntblaadjes weg.

Laat de aardappels even afkoelen, snijd ze in plakken en doe ze in een schaal. Klop citroensap, olijfolie en peper door elkaar. Druppel dit vlak voor het serveren over de aardappels.

knoflook-kruidenbrood

Dit smakelijke, gezonde recept bevat minder boter dan 'gewoon' knoflookbrood.

3 teentjes knoflook, gepeld en uitgeperst

10 g boter, heel zacht

3 eetlepels olijfolie

1 eetlepel fijngehakte platte peterselie

1 eetlepel fijngehakte verse basilicumblaadjes

4 ciabattabroodjes, doormidden gesneden

VOOR 8 PORTIES

Verwarm de oven voor op 200 °C (gasstand 4).

Meng alle ingrediënten behalve de broodjes in een kom door elkaar. Roer goed tot de boter en olie lobbig worden.

Bestrijk alle helften van de broodjes royaal met de boter. Doe de helften op elkaar en wikkel in aluminiumfolie. Bak 10-15 minuten.

Bij een barbecue leg je de pakketjes 10 minuten op middelhoog vuur. Keer ze eenmaal.

heerlijke hotdogs

Kinderen zijn dol op hotdogs. De saus kun je van tevoren maken en invriezen.

250 ml water	8 varkensworstjes van goede kwaliteit
1 kleine ui, fijngehakt	
80 ml ketchup	witte of volkoren puntjes
1 theelepel mosterdpoeder	125 g cheddarkaas, geraspt
1 theelepel rietsuiker	
1 theelepel paprikapoeder (eventueel)	VOOR 8 HOTDOGS

Doe water, ui, ketchup, mosterdpoeder, suiker en paprikapoeder in een steelpan. Breng aan de kook en zet het vuur laag. Laat 5-10 minuten sudderen tot een dikke pulp.

Bak de worstjes in een grote koekenpan circa 20 minuten op heel laag vuur tot ze gaar zijn. Keer ze af en toe.

Snijd de puntjes in de lengte door. Leg in elk broodje een worstje. Schep de saus en geraspte kaas erover.

regenboogpopcorn

Popcorn kun je een dag van tevoren maken. In een luchtdicht afgesloten trommel blijft het knapperig en vers.

3 eetlepels plantaardige olie	50 g boter
115 g pofmaïs	VOOR DE HOORNTJES:
6 eetlepels vloeibare honing	stevig papier
natuurlijke voedselkleurstof, zoals biet, spinazie en kurkumapoeder, van elk 1 theelepel	plakband
	VOOR CIRCA 8 HOORNTJES

Verwarm op hoog vuur 1 eetlepel olie in een grote pan. Doe een derde van de pofmaïs erbij en doe het deksel op de pan. Schud de pan voortdurend heen en weer tot alle korrels gepoft zijn. Pof zo ook de rest van de maïs.

Haal de pan van het vuur en doe de popcorn in een grote kom. Doe 2 eetlepels honing, 1 theelepel bietenpoeder en een derde van de boter in de lege pan en laat smelten. Doe een derde van de popcorn terug in de pan en schud de korrels door de gekleurde boter. Zet weg. Doe hetzelfde nog twee keer met de rest van de honing en boter en de andere kleurpoeders.

Voor de hoorntjes knip je vierkanten van 30 × 30 cm uit stevig papier. Rol ze op tot kegels en zet de rand vast met plakband.

karamelappels

Deze worden klef als je ze van tevoren maakt.
Maak ze dus op de dag van het feest.

12 handappeltjes	4 theelepels citroensap
12 lollystokjes	4 eetlepels water
450 g rietsuiker	taartstrooisel
2 eetlepels lichte suikerstroop	
60 g ongezouten boter	VOOR 12 APPELS

Was en droog de appels. Haal de steeltjes eruit en prik een lollystokje in het kuiltje.

Bedek een bakplaat met ingevet bakpapier.

Doe suiker, stroop, boter, citroensap en water in een steelpan met dikke bodem. Breng aan de kook en laat al roerend snel doorkoken tot een temperatuur van 140 °C. Heb je geen thermometer, laat dan een theelepel karamel in koud water vallen. Als de karamel oplost, is hij nog niet klaar. Trekt hij draden, dan is hij goed. Haal de pan van het vuur en zet hem in een laagje koud water zodat de karamel niet verbrandt.

Doop de appels een voor een in de karamel tot ze gelijkmatig bedekt zijn. Zet ze op de beklede bakplaat, bestrooi ze met spikkels en laat ze op een koele, droge plek afkoelen. Ze blijven zo'n 2 uur goed voordat de karamel zacht wordt.

smoothiepuddinkjes

Met gekochte smoothies is dit recept snel en makkelijk te maken.

5 blaadjes gelatine

700 ml vruchtensmoothie

aardbeien of bessen als decoratie

VOOR 8 PUDDINKJES

Los de gelatine op zoals aangegeven op de verpakking. Doe de opgeloste gelatine met de smoothie in een grote kan en klop door met een garde.

Giet het mengsel in 8 bevochtigde vormpjes en laat het in de koelkast opstijven.

Houd de puddinkjes even in warm water en keer ze om boven een bordje. Versier ze met aardbeien of bessen. In de koelkast blijven de puddinkjes 2-3 dagen goed.

gelatinebootjes

Kinderen vinden deze kleurige bootjes prachtig.

3 grote sinaasappels

1 pakje gelatinepudding met vruchtensmaak

cocktailprikkers

zeiltjes van rijstpapier of gekleurd papier

VOOR 12 BOOTJES

Snijd de sinaasappels doormidden. Pers ze uit, maar zorg dat de schil heel blijft. Maak de pudding zoals aangegeven op de verpakking. Leg de sinaasappelschillen op een bakplaat en giet het gelatinemengsel erin. Vul ze glad op tot bovenaan. Laat opstijven in de koelkast.

Snijd de gevulde schillen na het opstijven met een scherp, nat mes nogmaals doormidden. Steek een cocktailprikker door de zeiltjes en prik in elk bootje een zeil.

De sinaasappelhelften kun je 2-3 dagen van tevoren vullen en ongesneden in de koelkast bewaren.

zelfgemaakte ijslolly's

Kinderen zijn dol op ijslolly's. Als je ze van vruchten en yoghurt maakt, zijn ze ook nog eens gezond. Lollyvormpjes zijn te koop bij huishoudwinkels. Heb je weinig tijd, koop dan smoothies en maak daar ijsjes van.

sinaasappel-mango-ijsjes

4 grote, rijpe mango's, geschild en grof gehakt	250 ml vers geperst sinaasappelsap
	VOOR 8-10 IJSJES

Mix de mango in de blender tot een gladde massa. Roer het sinaasappelsap erdoor. Doe het mengsel in een kan en giet het in de vormpjes. Druk de deksels erop en zet ze een nacht in de diepvries.

fruit-yoghurtijsjes

1 liter vanilleyoghurt	2 eetlepels honing
300 g gemengd rood zomerfruit uit de diepvries	VOOR 8-10 IJSJES

Mix de yoghurt, het fruit en de honing in een blender tot een gladde massa. Doe het mengsel in een kan en giet het in de vormpjes. Druk de deksels erop en zet ze een nacht in de diepvries.

bruisende bessenijsjes

500 ml bronwater met prik	VOOR 12 KLEINE IJSJES
100 ml vlierbessendiksap	

Doe het water met het diksap in een grote kan. Roer tot het sap is opgelost. Giet het mengsel in de vormpjes. Druk de deksels erop en zet ze een nacht in de diepvries.

supersorbets

Welk kind heeft hier geen zin in? Een sorbet van gelatinepudding en ijs met een brandend sterretje erin is een perfecte afsluiting van het verjaardagsmaal.

1 pakje Jelly in aardbeiensmaak

1 pakje Jelly in citroensmaak

200 g perzikhelften uit blik of 4 rijpe perziken

200 g ananasstukjes uit blik of 1 ananas

500 ml vanille-ijs

150 ml ongeklopte slagroom, licht geklopt

8 verse kersen en sterretjes als decoratie

VOOR 8 SORBETS

Maak de gelatinepudding zoals aangegeven op de verpakking. Giet in ondiepe bakjes gevoerd met huishoudfolie, laat afkoelen en laat opstijven in de koelkast.

Hak het fruit in stukjes en verdeel die over 8 glazen.

Keer de puddingen om boven een snijplank en hak ze grof. Doe in elk glas een laagje aardbeienpudding, een laagje citroenpudding en een bol ijs. Eindig met een lepel slagroom, een kers en een sterretje.

Steek de sterretjes aan en serveer de sorbet meteen. Zorg dat de kinderen afstand houden tot het sterretje uit is.

alcoholvrije cocktails

Essentieel voor kindercocktails zijn pakkende namen, felle kleurtjes en grappige accessoires, zoals buigrietjes, papieren parapluutjes en een garnering van fruit, zoals ananas, sinaasappel, banaan, druiven en kiwi's. Al deze recepten kun je van tevoren maken en koel bewaren in omgespoelde water- of wijnflessen. Plak op elke fles een etiket, zodat je weet wat erin zit.

zilveren citroenkogel

4 biologische citroenen

1,5 liter kokend water

4-6 eetlepels honing

1 liter gekoeld spuitwater

ijsgruis

citroen- en limoenschijfjes en cocktailkersen als garnering

VOOR 8 GLAZEN

Rasp de citroenen op de grofste rasp tot aan het wit. Doe het kokende water in een pan, voeg de rasp toe en laat 5-6 minuten sudderen.

Pers intussen de citroenen uit. Doe het citroensap en honing naar smaak in de pan. Roer tot alles is opgelost, giet in een kan en laat afkoelen. Giet het mengsel door een zeef in een schone kan of fles en gooi de citroenrasp weg. Proef of het zoet genoeg is. Zet in de koelkast.

Vul elk glas voor tweederde met het citroendrankje en vul aan met spuitwater, ijsgruis en schijfjes citroen of limoen.

tropische punch

175 g suikerklontjes

175 ml kokend water

200 g rijpe mango of meloen, geschild, ontpit en fijngehakt

sap van 2 limoenen en 2 citroenen

500 ml gekoeld sinaasappel- of ananassap

ijsblokjes

500 ml gekoeld bronwater met prik

VOOR 8 GLAZEN

Los de suiker al roerend op in het water. Laat afkoelen.

Pureer de mango of meloen in een blender. Giet in een kan met de suikersiroop en het limoen- en citroensap. Roer het vruchtensap erdoor en zet in de koelkast. Serveer in een glas halfvol ijsblokjes, aangevuld met bronwater.

aardbeien-appel slushpuppy

500 g aardbeien, schoongemaakt

500 ml gekoeld appelsap

sap van 2 limoenen of citroenen

2 eetlepels basterdsuiker of naar smaak

500 ml ijsgruis

1 liter gekoeld spuitwater (eventueel)

aardbeien als garnering

VOOR 8 GLAZEN

Pureer de aardbeien met het appelsap, het limoen- of citroensap, de suiker en het ijsgruis in een blender. Verdeel de massa over hoge glazen en vul aan met spuitwater. Garneer met een aardbei en serveer meteen.

cake en koekjes

chocoladeharten

Deze koekjes, die je zonder oven maakt, blijven afgedekt een week goed in de koelkast. Invriezen gaat ook goed.

200 g volkorenbiscuitjes	50 g hazelnoten, geroosterd, ontveld en grof gehakt (eventueel)
130 g boter	
3 eetlepels lichte suikerstroop	100 g melkchocola
2 eetlepels cacaopoeder	suikerbloemetjes of glazuur voor decoratie
50 g rozijnen	VOOR 8-10 HARTEN

Beboter een bakblik van 20 × 20 cm.

Doe de biscuitjes in een plastic zak en verkruimel ze grof met een deegroller.

Smelt de boter en stroop in een grote pan. Roer de cacao, rozijnen en eventueel hazelnoten erdoor, gevolgd door de koekkruimels. Schep de massa in het bakblik en druk goed aan. Smelt de chocola in een hittebestendige schaal boven een pan kokend water. Bestrijk de koekbasis hiermee en zet 1 uur in de koelkast. Snijd voor het serveren in harten of blokjes.

Versier met roze suikerbloemetjes of glazuur.

minivruchtenfondue

Maak de fruitspiesjes een dag van tevoren en bewaar ze in de koelkast. Ook de sausjes kun je van tevoren maken; in de koelkast blijven ze 2 dagen goed.

MET WINTERFRUIT:

1 kleine ananas, schoongemaakt en in blokjes

1 mango, schoongemaakt en in blokjes

2 bananen, gepeld en in blokjes

MET ZOMERFRUIT:

125 g aardbeien, schoongemaakt

2 perziken, schoongemaakt en in blokjes

1 kleine kanteloep, schoongemaakt en in blokjes

ZOETE DIPS:

Griekse yoghurt met honing naar smaak

225 g melkchocola gesmolten met 1 eetlepel lichte suikerstroop

discospikkels

satéstokjes

VOOR 8 SPIESJES

Rijg aan elke prikker 3 stukjes fruit. Leg 1 uur in de koelkast. Serveer met de zoete dips.

choco-notenblokjes

Deze overheerlijke koekjes zijn gevuld met kokos, amandelen en melkchocola. Laat voor een eenvoudiger versie de noten en chocola weg. Luchtdicht afgesloten blijven ze 4-5 dagen goed.

125 g boter

125 g ongeraffineerde suiker

80 g lichte suikerstroop (golden syrup)

210 g havermout

25 g gedroogde kokos

30 g hele amandelen, grof gehakt (eventueel)

bigarreaux (eventueel)

40 g melkchocola, grof gehakt

VOOR 12 BLOKJES

Verwarm de oven voor tot 180 °C (gasstand 3). Beboter een bakblik van 23 × 23 cm en leg onderin bakpapier.

Verwarm boter, suiker en stroop op laag vuur tot de boter smelt en de suiker oplost.

Haal de pan van het vuur. Roer de havermout en kokos erdoor. Schep in het bakblik en druk goed aan.

Strooi de amandelen en eventueel kersen erover; druk ze licht aan. Bak 15-20 minuten. Haal uit de oven en bestrooi meteen met de gehakte chocola. Laat afkoelen.

Geef met een mes de verdeling aan in de nog warme chocola. Laat helemaal afkoelen, snijd in blokjes en haal die uit het bakblik.

128

bloemenkoekjes

Bak deze koekjes op een schone bakplaat met antiaanbaklaag, anders blijven ze plakken. Je kunt ze van tevoren maken en luchtdicht afgesloten bewaren.

140 g boter, kamertemperatuur	200 g bloem, plus extra voor bestuiven
100 g ongeraffineerde poedersuiker	30 g gemalen amandelen (eventueel)
1 druppel vanille-essence	15 gekleurde zuurtjes
1 eidooier	VOOR 20 KOEKJES

Klop met een handgarde de boter, poedersuiker en vanille-essence tot een romige massa. Klop de eidooier erdoor. Roer de bloem en eventueel amandelen erdoor. Meng alles met je handen snel tot een stevig deeg. Kneed er een bal van en druk die een beetje plat. Wikkel het deeg in huishoudfolie en leg het 2-3 uur in de koelkast.

Sorteer de zuurtjes intussen op kleur. Doe elke kleur in een aparte diepvrieszak en maak die dicht. Verpulver ze met een deegroller.

Verwarm de oven voor op 180 °C (gasstand 3). Vet twee bakplaten met antiaanbaklaag in.

Rol het deeg op een met bloem bestoven oppervlak uit tot een dikte van 5 millimeter. Steek er verschillende vormen van zo'n 7 centimeter uit. Steek bij elk koekje een rondje, driehoek of ruitvorm uit het midden, maar zorg dat er rondom een flinke rand overblijft.

Leg ze op de bakplaat en vul de openingen met één kleur zuurtjesgruis. Bak ze 8 minuten of tot ze stevig en licht goudbruin zijn. Haal de koekjes uit de oven en laat ze 1 minuut opstijven. Leg ze dan met een pannenkoekmes op een rooster om af te koelen.

Tip: als je de koekjes te lang op de bakplaat laat liggen, kleven ze vast. Zet ze in dat geval een minuutje terug in de warme oven, zodat de suiker weer smelt.

sterrenkoekjes

Een stoere variant op de bloemenkoekjes (zie boven) en perfect voor een ruimtefeestje. Bladzilver koop je bij gespecialiseerde bakwinkels.

VOOR 20 KOEKJES

Volg het recept voor de bloemenkoekjes (zie boven), maar steek na het uitrollen sterren uit het deeg.

Voor het bladzilver bevochtig je een kwastje met koud water en hiermee bestrijk je de koekjes. Wacht tot ze kleverig aanvoelen en leg dan met een pincet stukjes bladzilver op de sterren voor een grillig zilvereffect.

peperkoekdieren

Laat je kinderen helpen bij het uitsteken en versieren van deze grappige dierenkoekjes. Goed afgesloten blijven ze een week goed.

225 g bloem, plus extra voor bestuiven

1 theelepel gemberpoeder

1 theelepel kaneel

1 theelepel bakpoeder

60 g boter

2 eetlepels ongeraffineerde

donkerbruine suiker

80 g lichte suikerstroop

1 eetlepel losgeklopt ei

poedersuiker, gekleurde suiker en spikkels om te versieren

VOOR 25 KOEKJES

Verwarm de oven voor op 190 °C (gasstand 4). Bekleed twee bakplaten met bakpapier.

Meng bloem, gember, kaneel en bakpoeder in een foodprocessor. Voeg de boter toe en mix tot het deeg op broodkruimels lijkt. Voeg suiker, stroop en ei toe; mix tot een zacht deeg. Voelt het te droog aan, voeg dan nog wat ei toe.

Rol het deeg uit tot een dikte van 5 millimeter. Steek diervormen uit en leg ze op de bakplaten. Bak 8-10 minuten tot ze licht goudbruin zijn. Laat even uitharden op de bakplaat en leg ze dan op een rooster om af te koelen.

Klop voor de versiering een dun glazuur van 2 eetlepels poedersuiker en een paar druppels water. Bestrijk de koekjes ermee en bestrooi ze met spikkels of gekleurde suiker.

vlindercakejes

Deze lichte cakejes zijn bedekt met een heerlijk roomkaasglazuur. Ongeglazuurd kun je ze invriezen of bewaren in een goed afgesloten trommel.

1 eetlepel melk

3 eieren, losgeklopt

100 g basterdsuiker

115 g zelfrijzend bakmeel

85 g boter, gesmolten

ROOMKAASGLAZUUR:

150 g light roomkaas

100 g ongeraffineerde poedersuiker

rasp van 1 biologische citroen of sinaasappel, plus 2 eetlepels sap

cakestrooisel en spikkels om te versieren

VOOR 15 CAKEJES

Verwarm de oven voor op 190 °C (gasstand 4). Zet 15 papieren cakevormpjes in een muffinplaat.

Klop melk, eieren en suiker met een elektrische mixer tot een dikke, glanzende massa die qua volume verdubbeld is (als je de mixer optilt, moet er een sliert aflopen). Voeg de helft van het bakmeel en de helft van de boter toe en mix dit goed. Voeg dan de rest van het bakmeel en de boter toe. Vul de bakjes met een eetlepel tot bijna bovenaan. Bak 10 minuten tot ze gerezen en goudbruin zijn. Laat afkoelen op een rooster.

Klop een glad glazuur van roomkaas, poedersuiker, rasp en sap van de citroen of sinaasappel.

Wanneer de cakejes afgekoeld zijn, snijd je een schijfje van de bovenkant. Snijd dit doormidden. Vul de opening met een beetje glazuur en steek de twee helften erin als een vlinder. Versier met spikkels.

honingknabbels

Hierbij kunnen de kinderen je goed helpen. Je kunt ze invriezen of een week bewaren in een goed afgesloten trommel.

15 g boter	30 g cornflakes
1 eetlepel vloeibare honing	40 g rozijnen
1 eetlepel rietsuiker	VOOR 18 KNABBELS

Verwarm de oven voor op 180 °C (gasstand 3). Zet 18 papieren cakevormpjes op een muffinplaat.

Smelt boter, honing en suiker in een pannetje en blijf roeren tot de boter helemaal gesmolten is.

Roer de cornflakes en rozijnen erdoor. Verdeel het mengsel over de bakjes.

Bak 8-10 minuten tot ze lichtbruin zijn. Haal ze uit de oven en laat ze afkoelen.

chocorotsjes

Deze zitten vol foute zoetigheden, maar wat zijn ze lekker!

2 Snickers of Marsen, grof gehakt	75 g geroosterde ongezouten pinda's
70 g rice crispies	200 g melkchocola
100 g witte minimarshmallows	1 theelepel plantaardige olie
	VOOR 18 ROTSJES

Zet 18 papieren cakevormpjes op een muffinplaat.

Meng de repen, de rice crispies, de marshmallows en de pinda's in een grote kom door elkaar.

Smelt de chocola met de olie op laag vuur. Laat iets afkoelen en giet over de andere ingrediënten. Roer goed door en verdeel de massa over de vormpjes. Laat 30 minuten opstijven in de koelkast.

feesttaarten

Bij de banketbakker en supermarkt zijn allerlei soorten verjaardagstaarten te koop, maar er gaat toch niets boven een zelfgebakken exemplaar, ook al zakt hij een beetje scheef of druipt het glazuur eraf. De themataarten in dit hoofdstuk zijn gebaseerd op het recept voor Moskovisch gebak. Heb je weinig tijd, koop dan een paar kant-en-klare cakes, snijd die in de gewenste vorm en glazuur ze.

klassieke cake

Dit recept is perfect voor een traditionele, ronde verjaardagstaart met twee lagen. Versier hem zo eenvoudig of uitbundig als je zelf wilt.

175 g zachte boter	3 grote eieren, losgeklopt
175 geraffineerde basterdsuiker	175 g zelfrijzend bakmeel

Vet twee ronde bakblikken van 18 centimeter in en bekleed ze met bakpapier.

Klop boter en suiker licht en luchtig. Voeg een voor een de eieren toe; klop elk ei steeds goed door. Roer met een grote metalen lepel de helft van het bakmeel erdoor en vervolgens de andere helft.

Verdeel het beslag over de bakblikken en strijk het glad met een pannenkoekmes. Bak 20 minuten in het midden van de oven op 190 °C (gasstand 4), tot de cake gerezen is en terugveert wanneer je hem in het midden licht indrukt. Maak de randen los met een pannenkoekmes en laat 5 minuten rusten in het bakblik.

Keer de cakes om, haal het bakpapier eraf en laat ze afkoelen op een rooster.

Leg de lagen op elkaar met botercrème ertussen (zie blz. 134). Maak het suikerglazuur voor de bovenkant (zie blz. 134). Giet het glazuur over de taart en versier met snoepjes naar keuze en kaarsjes.

Variaties:

Chocoladetaart: vervang 45 gram bloem door evenveel cacaopoeder. Doe vanille- of chocoladecrème tussen de lagen (zie blz. 134).

Citrustaart: voeg de geraspte schil van 1 sinaasappel of citroen toe aan het beslag. Doe sinaasappel- of citroencrème tussen de lagen (zie blz. 134).

Koffietaart: los 1 theelepel instantkoffie op in 1 eetlepel kokend water. Laat afkoelen en voeg samen met de eieren toe aan het beslag. Doe vanille- of koffiecrème tussen de lagen (zie blz. 134).

Moskovisch gebak

Het geheim van een mooi versierde taart is een stevige, smeuïge cake die niet kruimelt bij het snijden. Het best is Moskovisch gebak, dat je allerlei smaakjes kunt geven. Het schema hieronder geeft de benodigde hoeveelheden voor cakes van verschillende formaten.

Bakblik	25 × 25 cm	30 × 23 cm	20 cm Ø
Zelfrijzend bakmeel	375 g	315 g	250 g
Bloem	185 g	155 g	125 g
Zachte boter	375 g	315 g	250 g
Basterdsuiker	375 g	315 g	250 g
Grote eieren	6 stuks	5 stuks	4 stuks
Baktijd	**1 uur**	**45 minuten**	**50 minuten**

Verwarm de oven voor op 180 °C (gasstand 3). Vet het bakblik in en bekleed het met bakpapier.

Zeef het bakmeel en de bloem samen. Klop de zachte boter en de suiker in een grote mengkom licht en luchtig. Voeg een voor een de eieren toe, afgewisseld met 4 eetlepels meel, tot een licht, luchtig beslag. Voeg een eventueel smaakje nu toe. Roer de rest van de bloem met een grote lepel door het beslag.

Schep het beslag in de bakvorm en maak met de achterkant van een lepel een kuiltje in het midden.

Bak gedurende de aangegeven tijd in het midden van de oven. Als je een satéstokje in de cake steekt, moet het er schoon uitkomen. Laat 10 minuten afkoelen, keer de cake en laat afkoelen op een rooster.

Smaakjes voor Moskovisch gebak:

Vanille: voeg 1 theelepel vanille-essence toe.

Citroen of sinaasappel: voeg geraspte schil en sap van 1 biologische citroen of sinaasappel toe.

Chocolade: voeg 2-3 theelepels cacaopoeder toe, opgelost in 1 eetlepel melk.

Amandel: voeg 1 theelepel amandelessence en 2-3 eetlepels gemalen amandelen toe.

glazuur en vulling

Een dikke laag botercrèmeglazuur verhult allerlei foutjes, van verbrande randen tot een ingezakt midden. Bovendien gaat het de kinderen toch vooral om het lekkere glazuur.

botercrèmeglazuur

125 g boter, kamertemperatuur	375 g geraffineerde poedersuiker, gezeefd
1 eetlepel melk	VOOR CIRCA 450 G

Doe de boter in een mengkom of foodprocessor. Doe melk en/of het smaakje erbij. Zeef de poedersuiker boven de kom met kleine beetjes tegelijk, en roer steeds meteen door. Klop zo een lichte, luchtige, gladde botercrème.

Smaakjes voor botercrème:

Vanille: voeg 1 theelepel vanille-essence toe.

Citroen of sinaasappel: voeg geraspte schil van 1 biologische citroen of sinaasappel toe. Vervang de melk door 2 eetlepels versgeperst citroen- of sinaasappelsap.

Koffie: los 1 eetlepel instantkoffie op in de melk en roer deze pasta door de botercrème.

Chocolade: los 2 eetlepels cacaopoeder op in de melk en roer deze pasta door de botercrème.

Andere soorten glazuur

Suikerglazuur Eenvoudig glazuur om over taarten en koekjes te gieten. Meng 225 gram gezeefde poedersuiker met 2-4 eetlepels heet water tot een dun papje. Snel uitgieten, want het wordt gauw hard.

Citroenglazuur Meng 115 gram basterdsuiker met het sap van 1 citroen. Roer tot de suiker oplost en giet over een vers gebakken cake.

Schuimglazuur Perfect voor een koffiecake. Doe 175 gram poedersuiker, 1 eiwit, mespuntje wijnsteenbakpoeder en 2 eetlepels heet water in een kom boven een pan zacht kokend water. Klop 10 minuten met een elektrische mixer tot een dikke, glanzende massa.

minitaartjes

Deze kleine cakejes zijn een prima alternatief voor een traditionele verjaardagstaart. Stem het glazuur af op het thema van het feest en zet ze naast elkaar op een groot blad.

recept voor Moskovisch
gebak, hoeveelheid met
6 eieren (zie blz. 133)

2 × recept voor
suikerglazuur
(blz. hiernaast)

voedselkleurstof
(eventueel)

glazuurstiften in diverse
kleuren

VOOR 25 MINITAARTJES

Maak Moskovisch gebak in een bakvorm van 25 × 25 cm (zie blz. 133).

Snijd de afgekoelde cake in 25 blokjes van ca. 5 × 5 cm.

Maak het suikerglazuur en kleur het met voedselkleurstof naar keuze (wij hebben blauw gebruikt). Zet de cakeblokjes op een snijplank en giet het glazuur erover. Let erop dat ze helemaal bedekt zijn. Maak het glazuur niet te dun, want dan knoeit het enorm.

Wanneer het glazuur uitgehard is, zet je de cakejes in papieren vormpjes. Versier ze met glazuurstiften (te koop bij bakwinkels); laat de motiefjes aansluiten bij het feestthema.

Heb je weinig tijd, koop dan een paar cakes en snijd daar blokjes van.

Fantasietaarten

Een taart maken die bij het thema van het feest past, is makkelijker dan het lijkt. Bak Moskovisch gebak of koop een paar cakes. Snijd die in de gewenste vorm. Plak de stukken cake met botercrème aan elkaar. De onvermijdelijke scheurtjes werk je weg onder het glazuur!

Droompaleis

Een perfecte taart voor een beeldschone prinses! De taart kun je een dag van tevoren maken.

3 × recept voor Moskovisch gebak, hoeveelheid met 5 eieren (zie blz. 133)

2 × 450 g botercrème (blz. 134)

5 ijshoorntjes

cocktailprikkers

vlaggetjes van rijstpapier of gekleurd papier

minisnoepjes en marshmallows

Verwarm de oven voor op 180 °C (gasstand 3).

Bak twee Moskovische cakes in twee ingevette, met bakpapier beklede vormen van 30 × 23 cm. Dit wordt de basis van het paleis. Bak één Moskovische cake in een ingevette, met bakpapier beklede vorm van 25 × 25 cm. Laat afkoelen en snijd hem in vijf grote en vijf kleine blokjes; dit worden de torentjes.

Kleur tweederde van de botercrème met voedselkleurstof (wij hebben blauw genomen). Kleur de rest met een andere kleur (hier roze).

In elkaar zetten: snijd de randen van de rechthoekige cakes recht af. Leg ze op elkaar op een groot taartplateau en 'plak' ze vast met blauwe botercrème.

Bestrijk de kleine blokjes met roze glazuur en zet ze op de grote voor de torentjes. Zet boven op elk torentje een ijshoorntje en prik daar een vlaggetje in. Versier de hele taart met minimarshmallows, snoepjes en spikkels.

Peperkoekhuisje

Bak taart en peperkoek van tevoren en zet het huisje op de ochtend van het feest in elkaar.

1 × recept voor
Moskovisch gebak,
hoeveelheid met 6 eieren
(zie blz. 133)

2 × 450 g
vanillebotercrème
(blz. 134)

1 × recept peperkoek
(zie blz. 129)

witte chocolaatjes,
snoepjes, spikkels,
gekleurde hagelslag,
gekochte peperkoek-
poppetjes, wafeltjes,
chocowafelrolletjes

Bak een Moskovische cake van 25 × 25 cm (zie blz. 133).

Snijd de korst eraf en snijd de bovenkant recht af. Snijd de cake in vier gelijke vierkanten en leg die recht op elkaar. Plak ze vast met botercrème ertussen. Snijd de twee bovenste lagen aan weerszijden schuin af zodat je een puntdak krijgt.

Meet de zijkanten van de cake op, rol de helft van het peperkoekdeeg uit en snijd dit op dezelfde maat. Rol de rest van het deeg uit en snijd hier twee dakhelften uit. Bak de stukken peperkoek 10-15 minuten op een bakplaat bij 190 °C (gasstand 4). Laat ze afkoelen op een rooster.

In elkaar zetten: snijd de peperkoek op maat voor de muren en het dak van het huisje. Bestrijk de cake met een dikke laag botercrème en druk de peperkoek voorzichtig vast.

Strijk de rest van de botercrème als een sneeuwlaag over het dak. Versier de muren met wafeltjes, witte chocolaatjes, peperkoekpoppetjes, chocowafelrolletjes en snoepjes.

treintje

Deze indrukwekkende trein is gemaakt van drie kant-en-klaar gekochte cakes.

3 cakes uit de winkel	rolfondant
2 × 450 g botercrème (blz. 134)	glazuurstiften in verschillende kleuren

Een verjaardagstaart samenstellen uit gekochte cakes is supersimpel. Snijd de cakes in stukken en bouw hiermee de gewenste vorm op.

De ondergrond bestaat uit dikke plakken cake. Voor de achterkant van de locomotief is één hele cake gebruikt; de ronde voorkant is uit de andere gesneden. De stukken cake zijn met abrikozenjam aan elkaar geplakt. Houd bij een complexe constructie de elementen op hun plaats met satéstokjes, maar vergeet niet om die eruit te halen voordat je de taart aansnijdt!

Wil je meerdere kleuren glazuur gebruiken, verdeel de botercrème dan over twee of drie kommetjes en voeg de gewenste kleurstof toe. Bedek de cake met een dikke laag botercrème in de gewenste kleuren. Rol de fondant voor het dak uit en snijd op maat. Teken ramen, deuren en andere details met glazuurstiften. Versier de trein met snoepjes, chocolaatjes en dropwielen.

raket

Toch net echt, deze spaceshuttle met turbochargers? Je kunt hem een dag van tevoren in elkaar zetten en garneren, maar bewaar hem wel op een koele plek.

1 × recept voor Moskovisch gebak, hoeveelheid met 4 eieren (zie blz. 133)	4 of 5 gekochte cakerolletjes
	rode en blauwe Smarties, zilverpilletjes en drop om te garneren
2 × 450 g botercrème (blz. 134)	oranje of gele rolfondant

Bak de Moskovische cake 50-55 minuten in een ingevette, ronde ovenschaal van 1,2 liter. Keer hem en laat hem afkoelen. Snijd de korst eraf en snijd de bovenkant recht af. Dit wordt de basis van de raket.

In elkaar zetten: plak de cakerolletjes met botercrème aan elkaar voor het middengedeelte. Zet ze op de basis. Zet er een ijshoorntje omgekeerd bovenop als neus. Bedek alles met de rest van de botercrème.

Zet de taart op een rond taartplateau en druk vijf ijshoorntjes rondom tegen de basis als 'poten'. Versier de raket met blauwe en rode Smarties, zilverpilletjes en dropjojo's als patrijspoorten.

Rol de oranje fondant uit en snijd er driehoekjes van. Plak die rond de basis van de raket en omhoog langs de zijkanten bij wijze van vlammen.

adressen

**SERVIESGOED EN ANDERE
ACCESSOIRES**

IKEA

Kijk op www.ikea.com voor een
catalogus en adressen van
vestigingen.
*Goedkoop en kleurig kookgerei,
serviesgoed en andere
keukenaccessoires zoals
ijsblokjesvormen, ijsemmertjes en
cocktailshakers.*

HEMA

Kijk op www.hema.nl voor
adressen van vestigingen.
*Vrolijk gekleurd papieren en
plastic serviesgoed, servetten,
tafeldecoraties, traktaties, kleine
cadeautjes, knutselmateriaal.*

VROOM & DREESMANN

Kijk op www.vd.nl voor adressen
van vestigingen.
*Feestversiering,
wegwerpserviezen,
knutselmateriaal.*

Voor voordelig geprijsd
wegwerpserviesgoed, decoraties
en kleinigheden voor prijsjes of
afscheidscadeautjes kun je ook
heel goed terecht bij winkels als
Blokker, Marskramer, Zeeman,
Wibra, Action en dergelijke.

**KNUTSEL- EN
HOBBYMATERIAAL**

PIPOOS

Kijk op www.pipoos.com voor een
catalogus en adressen van
vestigingen.
*Kinderknutselmateriaal, stickers,
porseleinverf, kralen, lijm,
textielverf, stiften, stempels,
ponsen, tasjes en houten
voorwerpen om te beschilderen.*

**TAARTDECORATIES,
BAKVORMEN, KLEURSTOFFEN
E.D.**

www.creacake.nl

www.deleukstetaartenshop.nl

www.taartendecoratie.nl

KOSTUUMS

www.kinderverkleedwinkel.nl
*Kleding voor allerlei
themafeestjes, waaronder circus,
prinsessen, ridders, onderwater,
dieren, piraten, cowboys en disco.*

www.verkleedfeestjes.nl
*Complete verkleedkisten voor
allerlei themafeestjes, waaronder
elfjes, piraten, ridders, circus,
glitter & glamour.*

SPEELGOED EN CADEAUTJES

Bart Smit
www.bartsmit.com

Intertoys
www.intertoys.nl

*Speelgoed, verkleedkleren,
schmink, kleine cadeautjes,
feestversiering.*

NUTTIGE WEBSITES

www.doosvolplezier.nl
*Tips, draaiboeken, traktaties en
taartdecoraties voor
kinderfeestjes rond allerlei
thema's.*

www.kidsfeestje.nl
*Traktaties, feestartikelen,
knutselmateriaal, accessoires.*

www.party-kids.nl
*Traktaties, spelletjes,
versieringen, uitnodigingen,
recepten.*

www.kinderfeestjessite.nl
*Tips voor organisatie en links
naar adressen van
verhuurbedrijven voor kleding en
dergelijke.*

fotoverantwoording

ALLE FOTO'S ZIJN GEMAAKT DOOR POLLY WREFORD

b = boven, o = onder, r = rechts, l = links, m = midden

Schutbladen: ballen van Purves & Purves; 1 plastic eieren en kippen van DZD; 2 kostuum meisje links van Rachel Causer; kostuums jongen midden en meisje rechts van Maggie Bulman; glazen van The Pier; taartplateaus van Grace & Favour; 6 l kussen van Grace & Favour; 6 r piratenaccessoires van Party Superstore; 6 o sheriffhut van Win Green; 7 bm kroon van Party Party; 7 om huis op palen van The Great Little Trading Company; 7 br bal van Purves & Purves; 7 or cowboyhoed van Party Superstore; 8 schaal en bord van Purves & Purves; bestek van Habitat; 10 bl accessoires clown en piraat van Party Superstore; 10 ml glas van IKEA; 10 ol plastic eieren van DZD; 10 br scheepsroer van DZD; 12-17 Berenpicknick: berenkostuum van Maggie Bulman; paviljoen van Win Green; schalen en borden van Purves & Purves; kussens, deken, mand en fles van Grace & Favour; slinger en zandbak van Urchin; theeserviesje van Toys r Us; 18-23 Dierenboerderij: konijnen, kippen, vlinders, rupsen en papieren bloemen van DZD; kussens van Win Green; kartonnen huisje van Ecotopia; 24 o kegelsoldaatjes van Grace & Favour; 26-31 In de zee: kostuums inktvis en zeemeermin van Maggie Bulman; papieren pruik en kroon van Rachel Causer; ophangnetten, tafel, stoelen, glazen en bekers van IKEA; net en vissenmobiles van DZD; alle papier van Paperchase; glazen taartplateau van Grace & Favour; ballonnen van Party Superstore; 32-37 Elfjes: ballonnen van Paperchase; klamboe van The Pier; taartplateau van Urchin; schaal van Grace & Favour; papieren bekers en kommen van Party Superstore; kussen van The Pier; 38-43 Piraten: scheepsroer, schatkist, touw en schedel van

DZD; piratenballonnen en piratenaccessoires van Party Superstore; piratenvlaggen van Maggie Bulman; piratenkostuums 40 bl, 40 ol, 41 & 43 b meisje links allemaal van Maggie Bulman; 44 m chocolademunten van Hope & Greenwood; 45 ol schedel en touw van DZD; 46-51 Wilde westen: servies van Purves & Purves; rood kussen van Grace & Favour; cowboyhoeden en accessoires van Party Superstore; cowboywaszak van Emily Medley; sheriffhut van Win Green; wigwam van The Great Little Trading Company; 46, 48 b en 50 ol kostuums cowboy, cowgirl en indianenmeisje van Rachel Causer; 47 bl, 50 bl en 50-51 kostuums opperhoofd en indianenmeisje van Maggie Bulman; 52-57 Circus: rietjes, schmink en circusaccessoires van Party Superstore; mand van Habitat; tijgerstof, stoffen voor tent en luifel van Fabrics Galore; kleed van IKEA; snoep en cadeaupapier van Hope & Greenwood; roze schaal en gestippeld schort van Cucina Direct; taartplateaus van Urchin; tafelkleed van The Pier; papieren bekers van Sainsbury's; klaptafel van Paperchase; alle circuskostuums van Rachel Causer; 58-63 Ruimtevaart: kartonnen raket van Ecotopia; muurdecoratie en mobile van IKEA; astronautenpak van Rachel Causer; marsmannetjespak van Maggie Bulman; 64-69 Ridders en jonkvrouwen: zwaard, schild en gouden kroon van Party Superstore; papier voor banieren en speelgoedridder van Toys r Us; papier voor plankrandje en kaarsvlammen van Paperchase; kostuums van Maggie Bulman; 69 bl hoofdtooi van Rachel Causer; 70 b kroon van Party Superstore; 70 o skippybal van Purves & Purves; 71 br astronautenpak van Rachel Causer; 71 or marsmannetjespak van Maggie Bulman; 72-77 Tropisch eiland: papieren cocktails, papieren slingers, reuzenpalmbladeren en papegaai van DZD; cocktailparasolletjes en boompje, bloemkussens en lampionnen van The Pier; plastic glazen, kan op tafel en parasols van

Cargo Home Shop; bloemslingers en hoelarokjes van Party Superstore; 72 br hawaïshirt jongen van Mini Boden; 78-83 Gangsters en liefjes: 78 kostuums meisje links en jongen rechts van Maggie Bulman; meisjes midden links en rechts van Rachel Causer; kostuum jongen midden van Party Superstore; 79 slobkousen van Maggie Bulman; ijscoupes van Cargo; glazen en rietjes van The Pier; papier en karton voor decoraties en kaarthouders van Paperchase; glazen taartplateau van Grace & Favour; 85 bl roerstaafjes van The Pier; 86-91 alle karton en verf van Paperchase; 92 cadeaupapier van Woolworths; tasjes van Paperchase; 93 potjes van Muji; potloden van Paperchase; 94 ol stof van Fabrics Galore; 95 b dozen van IKEA; 95 o potloodfiguurtjes van Woolworths; 96 l manden van Habitat; bloemen van Primark; 96 r gietertjes van IKEA; 97 roze potjes van Paperchase; 98 bl tasjes van Primark; 99 hoedendozen van The Holding Company; 101 afvalbak van The Holding Company; 110 knijpflacons van Purves & Purves; gestippelde borden en cocktailprikkers van The Pier; 112-113 oranje dipschaaltjes van Purves & Purves; 114 kartonnen lunchboxen van Party Superstore; 116-117 houten borden van Purves & Purves; 118-119 schalen van Purves & Purves; 120 popcornschaal van Cucina Direct; 122 b bord van Purves & Purves; 123 papieren pruik gemaakt door Rachel Causer; ijslollyvorm van Cucina Direct; 124-125 ministerretjes van Paperchase; tafelkleed van The Pier; 126 hartvorm van Cucina Direct; 130-131 gestippeld blad en borden van The Great Little Trading Company; 132 slinger van Urchin; stof op tafel van Fabrics Galore; 134 b bord van Purves & Purves; 136-137 stof op tafel van Fabrics Galore. Alle papier, karton, lijm, plakband, glitter en andere hobbymaterialen die in dit boek gebruikt zijn, komen van Paperchase.

register

dankbetuigingen

We willen de volgende personen danken voor al hun werk en steun gedurende het afgelopen halfjaar: Andrew Treverton, voor wie geen opdracht te groot of te klein was en die we dag en nacht konden bellen om te knippen, te plakken, te vervoeren of op te bouwen; Vicky Robinson, die onze ideeën mede tot leven heeft gebracht; Rachael Causer voor al haar prachtige kostuums, uitnodigingen en decoraties; Maggie Bulman voor het uitlenen van haar schitterende verkleedkleren en het regelen van een heleboel modellen; Hattie Berger voor alle speelklei en haar onfeilbare recept; het team bij Ryland Peters & Small voor al zijn hulp en enthousiasme; Polly Wreford voor haar fantastische foto's die de beoogde sfeer zo perfect weergeven.

Dank aan alle modellen en proefkonijnen, zonder wie dit boek niet mogelijk zou zijn geweest: Angelica, Arthur, Beatrice, Betty, Blaise, Charlie, Christian-Ray, Dylan Jacob, Eden, Edie, Eliza, Erin, Esme, Florence, Florrie, Fred, George, Grace, Gus, Hal, Harry, Jacob, Jacob-Jobe, James, Joelle, Kitty, Leila, Lily, Linus, Luke, Martha, Matilda, Max, Maya, Megan, Millie, Mitsy, Molly, Pearl, Reece, Rosa, Sam, Scarlet, Tilda, Til en Yasmin.

Dank ook aan alle huiseigenaren voor hun toestemming om hun huis om te bouwen tot feestlocatie.